JE CUISINE

le poulet

Tom Bridge

p

Livre publié par Parragon Publishing
Édition publiée en 2000

Parragon Publishing
Queen Street House
4 Queen Street
Bath BA1 1HE
Royaume-Uni

Copyright © Parragon Publishing 1999

ISBN: 0-75253-728-8

Imprimé en Indonésie

Produit par Haldane Mason, Londres

Remerciements
Maquette : Ron Samuels
Directeur de la rédaction : Sydney Francis
Rédactrice en chef : Jo-Anne Cox
Assistante de rédaction : Elizabeth Towers
Conception : dap ltd
Photographie : St John Asprey
Spécialiste en économie domestique : Jacqueline Bellefontaine
Traduction : Atlas Translations, Cambridge, Royaume-Uni

L'éditeur tient à remercier le British Chicken Information Service pour les recettes figurant aux pages 14–17, 38–41, 44-45, 48-49, 52-53, 58-59, 64-65, 70–75, 78–83, 88–93, 96–101, 104-105, 112-113, 116-117, 122-123, 130-131, 134-135, 138-139, 142-143, 148-149, 152–159, 162-163, 166-167, 170-171, 174–181, 184–187, 192–225, 228–233, 236–241, 244-245, 248–255

Note
Dans cet ouvrage, les mesures en tasses correspondent à des tasses américaines. Il est considéré qu'une cuillerée à soupe correspond à 15 ml. Sauf indication contraire, il est considéré que le lait est entier, que les œufs sont moyens et que le poivre est du poivre noir fraîchement moulu.

Sommaire

Introduction   4

Soupes & Repas légers   6

Recettes Rapides   68

Plats en Sauce & Rôtis   110

Barbecues & Grillades   190

Plats Épicés   222

Index   256

Introduction

Le poulet a gagné en popularité à travers le monde, et ce à juste titre. Il joue un rôle important dans l'alimentation moderne parce qu'il est d'un prix raisonnable et bon sur le plan nutritionnel. C'est une viande qui se prête à une grande variété de méthodes de cuisson et de cuisines. Son goût peu prononcé fait qu'on peut cuisiner le poulet aussi bien avec des arômes sucrés que salés. Comme il a une faible teneur en matières grasses, surtout sans la peau, c'est une viande idéale dans les régimes à faible cholestérol ou hypocaloriques. Non seulement le poulet est une excellente source de protéines, mais il contient aussi des minéraux essentiels tels que du potassium, du phosphore et certaines vitamines B.

LES MODES DE CUISSON DU POULET

Rôti - Enlevez de l'intérieur de la volaille tout gras superflu. Rincez l'intérieur et l'extérieur à l'eau puis épongez avec du papier absorbant. Salez et poivrez bien l'intérieur et ajoutez de la farce, des herbes aromatiques ou du citron, au choix. Badigeonnez le blanc du poulet de beurre ramolli ou d'huile. Mettez sur une grille dans un plat à rôtir ou un plat creux allant au four. Faites rôtir la volaille en l'arrosant deux ou trois fois de son jus en cours de cuisson. Si le poulet dore trop vite, couvrez-le de papier d'aluminium. Vérifiez s'il est cuit à l'aide d'un thermomètre à viande ou bien en introduisant une petite broche dans la partie la plus épaisse de la cuisse. Si le poulet est cuit, le jus sera clair, sans teinte rosée. Mettez la volaille sur une planche à découper et laissez reposer au moins 15 minutes avant de servir. Faites une sauce avec le jus de cuisson.

Grillé - La chaleur intense du gril renferme rapidement la chair succulente sous une enveloppe dorée et croustillante. Mettez le poulet à 10-15 cm / 4-6 pouces d'une source de chaleur modérée. Si le poulet semble dorer trop vite, baissez légèrement le feu. Si le poulet est grillé à une température trop élevée trop près de la source de chaleur, l'extérieur brûle avant que l'intérieur ne soit cuit. S'il cuit trop longtemps à trop basse température, il se dessèche. Coupez le poulet en morceaux pour assurer une cuisson régulière. Le blanc cuit en un seul morceau peut être assez sec, il est donc conseillé de le couper en gros dés pour faire des brochettes. Les ailes de poulet sont idéales pour les grillades rapides.

Frit - Ce mode de cuisson convient aux petites cuisses, aux pilons et aux morceaux. Essuyez les morceaux de poulet dans du papier absorbant pour qu'ils dorent correctement et pour les empêcher de crépiter en cours de cuisson. Le poulet peut être enrobé de farine assaisonnée, d'œuf et de chapelure, ou de pâte à frire. Faites chauffer l'huile, ou un mélange d'huile et de beurre, dans une poêle à fond épais. Quand l'huile est très chaude, ajoutez les morceaux de poulet et faites frire jusqu'à ce qu'ils soient bien dorés de toutes parts, retournez les morceaux fréquemment en cours de cuisson. Égouttez bien sur du papier absorbant avant de servir.

Sauté - Idéal pour les petits morceaux ou les petites volailles comme les poussins. Faites chauffer un peu d'huile ou un mélange d'huile et de beurre dans une poêle à fond épais. Ajoutez le poulet et faites bien dorer à feu modéré en retournant fréquemment. Mouillez avec du bouillon ou un autre liquide, portez à ébullition, couvrez et baissez le feu. Faites cuire doucement jusqu'à ce que le poulet soit cuit de part en part.

Sauté à l'orientale - Le poulet sans peau ni os est coupé en petits morceaux d'égale grosseur afin que la viande cuise régulièrement et reste succulente. Préchauffez un wok ou une casserole avant d'ajouter un peu d'huile. Quand l'huile commence à fumer faites sauter le poulet avec l'assaisonnement choisi, en remuant 3 à 4 minutes jusqu'à ce qu'il soit cuit de part en part. D'autres ingrédients peuvent être cuits en même temps ou bien le poulet peut être sauté tout seul puis retiré du wok pendant que vous faites sauter le reste des ingrédients en remuant. Quand ils sont cuits, remettez le poulet dans le wok.

Cuit en cocotte - Une bonne façon de faire cuire des morceaux de poulet plus gros ou plus vieux que la moyenne, bien que de petits poulets puissent être cuits entiers. La cuisson lente attendrit la viande et lui donne bon goût. Faites dorer le poulet dans de l'huile, du beurre ou un mélange des deux. Ajoutez du bouillon, du vin, ou un mélange des deux, l'assaisonnement et des herbes aromatiques, couvrez et faites cuire sur la table de cuisson ou au four jusqu'à ce que le poulet soit tendre. Environ à mi-cuisson, ajoutez divers légumes que vous aurez légèrement fait sauter au préalable.

Braisé - C'est une méthode qui n'utilise pas de liquide. Les morceaux de poulet, ou un petit poulet entier, cuisent lentement avec les légumes à four doux. Faites chauffer de l'huile dans une cocotte allant au feu et au four et faites dorer le poulet doucement. Retirez le poulet et faites revenir plusieurs sortes de légumes jusqu'à ce qu'ils soient pratiquement tendres. Remettez le poulet dans la cocotte, couvrez hermétiquement et faites cuire lentement sur la table de cuisson ou à four doux jusqu'à ce que le poulet et les légumes soient tendres.

Poché - Cette méthode de cuisson douce donne un poulet tendre et un bouillon que l'on peut utiliser pour faire une sauce à servir avec le poulet. Mettez un poulet entier, un bouquet garni, un poireau, une carotte et un oignon dans un grand faitout. Recouvrez d'eau, assaisonnez et portez à ébullition. Couvrez et laissez mijoter 1 h 1/2 à 2 h, jusqu'à ce que le poulet soit tendre. Retirez le poulet, jetez le bouquet garni et faites une sauce avec le bouillon. Les légumes peuvent être mixés, pour épaissir le bouillon, et servis avec le poulet.

HYGIÈNE ALIMENTAIRE & CONSEILS

Le poulet est susceptible d'être contaminé par la salmonelle, bactérie qui peut être responsable de graves intoxications alimentaires. Certaines précautions doivent être prises au cours du stockage, de la manipulation et de la préparation des volailles afin d'éliminer tout risque d'intoxication alimentaire.

• Vérifiez la date limite de vente et la date limite de consommation. Après l'achat, transportez le poulet chez vous au plus vite, si possible dans un sac isotherme ou une glacière.

• Remettez sans attendre les volailles surgelées au congélateur.

• Si vous gardez le poulet au réfrigérateur, enlevez l'emballage et conservez les abattis séparément. Mettez le poulet dans un plat creux pour qu'il s'y égoutte. Couvrez de papier d'aluminium, sans serrer, et conservez-le sur l'étagère la plus basse du réfrigérateur 2 à 3 jours maximum, suivant la date limite de consommation. Évitez tout contact entre le poulet cru et des aliments cuits au cours de la conservation ou de la préparation. Lavez-vous les mains soigneusement après avoir touché du poulet cru.

• Préparez le poulet cru sur une planche à découper qui peut se laver facilement et se passer à l'eau de Javel, une planche non poreuse, en plastique, par exemple.

• Les volailles surgelées doivent être décongelées avant la cuisson. Si vous avez assez de temps, faites-les décongeler 36 heures au réfrigérateur ou 12 heures dans un endroit frais. Les bactéries prolifèrent sur la viande tiède à température ambiante et en cours de décongélation. La cuisson à haute température les tue. Il ne doit pas y avoir de cristaux de glace et la chair doit être molle et souple au toucher. Faites cuire le poulet dès que possible après décongélation.

• Assurez-vous que le poulet est cuit de part en part. Vérifiez à l'aide d'un thermomètre à viande (la cuisse doit atteindre au moins 79°C / 175°F quand elle est cuite) ou bien percez la partie la plus épaisse de la cuisse avec une petite broche, le jus qui en coule doit être clair, et non pas rosé ni rouge. Ne faites jamais cuire un poulet partiellement avec l'intention de terminer la cuisson plus tard.

LE BOUILLON DE POULE

Le bouillon de poule se fait généralement avec une volaille entière ou bien avec des ailes, des dos et des cuisses. Cela donne un bouillon bien savoureux. Cependant, il peut aussi se faire avec une carcasse et des os de poulet cuits avec des légumes et un assaisonnement. Bien que dans ce cas là le goût ne soit pas aussi riche, le bouillon est tout de même supérieur à celui fait avec un cube. On peut faire un bouillon de poule tout simple avec les abattis (sauf le foie qui est amer), un bouquet garni, un oignon, une carotte et quelques grains de poivre. Le bouillon fait-maison peut se conserver jusqu'à six mois au congélateur.

Pour faire le bouillon de poule, faites chauffer de l'huile ou du beurre, ou un mélange des deux, dans un grand faitout, ajoutez les ailes, les dos ou un poulet entier et deux oignons coupés en quatre. Faites bien dorer le poulet et les oignons. Recouvrez d'eau froide, portez à ébullition et écumez. Ajoutez deux carottes émincées, deux branches de céleri coupées en morceaux, un petit bouquet de persil, quelques feuilles de laurier, un brin de thym et quelques grains de poivre. Couvrez partiellement et laissez frémir environ 3 heures. Passez le bouillon au-dessus d'un récipient, laissez refroidir puis mettez au réfrigérateur. Quand le bouillon est complètement refroidi, retirez la graisse solidifiée à la surface.

Soupes & Repas Légers

Depuis bien longtemps il est de tradition de dire que la soupe au poulet est réconfortante et bonne pour la santé ; dans certaines cultures on la considère même comme le remède à tous les maux. Il ne fait aucun doute qu'elle est nourrissante, pleine de goût et facile à digérer. Pour le meilleur résultat possible, utilisez un bon bouillon de poule fait-maison quoique, si le temps est compté, vous pouvez toujours le remplacer par un bouillon cube de bonne qualité. Toutes les cuisines du monde ont leur version préférée de soupe au poulet et dans ce chapitre vous trouverez une sélection de recettes en provenance de pays aussi lointains que l'Italie, l'Écosse ou la Chine.

Comme le poulet peut s'accommoder de maintes façons et cuit rapidement, il est parfait pour des repas légers originaux et appétissants. On peut aisément faire ressortir son goût peu prononcé avec des épices et des fruits exotiques ou encore des ingrédients d'origine orientale comme le mirin, l'huile de sésame et le gingembre frais. Vous trouverez dans ce chapitre des recettes de croquettes, de salades et de pilons farcis et cuits au four ou servis avec de délicieuses sauces salsa aux fruits. Comme les morceaux de poulet sont faciles à transporter et à manger, bon nombre de ces recettes sont idéales pour le pique-nique et le panier-repas.

Velouté de Poulet au Citron

*Ce potage rafraîchissant à la fraîche saveur de citron
est parfait pour les jours d'été.*

Pour 4 personnes

INGRÉDIENTS

60 g / 2 onces / 4 cuil. à soupe de beurre
8 échalotes émincées
2 carottes moyennes, coupées en fines rondelles
2 branches de céleri, coupées en fines rondelles

250 g / 9 onces de blancs de poulet sans peau, coupé en très petits morceaux
3 citrons
1,2 l / 2 pintes / 5 tasses de bouillon de poule

150 ml / $1/4$ de pinte / $2/3$ de tasse de crème fraîche entière
sel, poivre
brins de persil et tranches de citron, en garniture

1 Faites fondre le beurre dans une grande casserole, ajoutez les légumes et le poulet. Faites cuire doucement 8 minutes.

2 Épluchez finement les citrons et faites blanchir les zestes 3 minutes dans de l'eau bouillante.

3 Pressez le jus des citrons.

4 Ajoutez les zestes de citron et le jus fraîchement pressé dans la casserole avec le bouillon de poule.

5 Portez doucement à ébullition et faites frémir à feu doux environ 50 minutes. Laissez refroidir et transférez dans un mixeur. Mixez jusqu'à ce qu'il soit homogène. Remettez le velouté dans la casserole, faites réchauffer, salez et poivrez à volonté. Ajoutez la crème fraîche. Ne faites pas bouillir à ce stade car le velouté tournerait.

6 Transférez le velouté dans une soupière ou dans des assiettes creuses chaudes. Servez immédiatement, garni de brins de persil et de tranches de citron.

VARIANTE

Pour obtenir un parfum différent, remplacez les citrons par 4 oranges. Cette recette peut aussi être adaptée pour faire une soupe au canard et à l'orange.

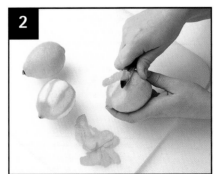

Soupe au Poulet de Tom

La pomme de terre fait partie de la nourriture de base des Irlandais depuis des siècles.
Cette recette nous vient d'Irlande du Nord, de la belle région de Moira, County Down.

Pour 4 personnes

INGRÉDIENTS

3 tranches de lard de poitrine fumée, découennées et coupées en petits morceaux

500 g / 1 lb 2 onces de poulet désossé, coupé en petits morceaux

25 g / 1 once / 2 cuil. à soupe de beurre

3 pommes de terre moyennes, coupées en morceaux

3 oignons moyens, hachés

600 ml / 1 pinte / 2$\frac{1}{2}$ tasses de bouillon d'abattis ou de poule

600 ml / 1 pinte / 2$\frac{1}{2}$ tasses de lait

150 ml / $\frac{1}{4}$ de pinte / $\frac{2}{3}$ de tasse de crème fraîche entière

sel, poivre

2 cuil. à soupe de persil frais haché.

pain levé, pour accompagner

1 Faites revenir doucement la poitrine fumée et le poulet dans une grande casserole pendant 10 minutes.

2 Ajoutez le beurre, les pommes de terre et les oignons et faites cuire 15 minutes sans cesser de remuer.

3 Ajoutez le bouillon et le lait puis portez à ébullition et faites frémir 45 minutes. Salez et poivrez à volonté.

4 Incorporez la crème et laissez frémir 5 minutes. Ajoutez le persil frais haché, puis mélangez et transférez la soupe dans une soupière chaude ou dans des assiettes creuses, servez avec du pain levé irlandais.

MON CONSEIL

Le pain "levé" irlandais n'est pas fait avec de la levure fraîche comme le pain ordinaire mais avec du bicarbonate de soude en guise de poudre levante. On peut le réaliser avec de la farine ou de la farine complète.

VARIANTE

Pour obtenir une soupe plus substantielle à servir en plat principal, ajoutez au choix d'autres légumes, tels que poireaux, céleri-rave ou maïs par exemple.

Soupe au Poulet & aux Poireaux

Cette soupe substantielle peut être servie en plat principal.
Vous pouvez y ajouter du riz et des poivrons pour la rendre encore plus copieuse et colorée.

Pour 6 personnes

INGRÉDIENTS

350 g / 12 onces de poulet sans os
350 g / 12 onces de poireaux
30 g / 1 once / 2 cuil. à soupe de beurre

1,2 l / 2 pintes / 5 tasses de bouillon de poule
1 sachet de bouquet garni
8 pruneaux dénoyautés, coupés en deux

sel, poivre blanc
riz cuit et poivrons coupés en dés (facultatif)

1 À l'aide d'un couteau tranchant, coupez le poulet et les poireaux en morceaux de 2,5 cm / 1 pouce.

2 Dans une grande casserole, faites fondre le beurre, ajoutez le poulet et les poireaux. Faites revenir 8 minutes en remuant de temps à autre.

3 Ajoutez le bouillon de poule et le sachet de bouquet garni dans la casserole, salez et poivrez à volonté.

4 Portez la soupe à ébullition et laissez frémir à feu doux 45 minutes.

5 Ajoutez les pruneaux dénoyautés, un peu de riz cuit et des poivrons coupés en morceaux (au choix) et maintenez le frémissement 20 minutes. Enlevez le sachet de bouquet garni et jetez-le. Versez la soupe dans une soupière chaude ou des assiettes creuses chaudes et servez immédiatement.

MON CONSEIL

Si vous avez le temps, faites le bouillon de poule vous-même en suivant la recette de la page 5. Sinon, vous pouvez acheter du bon bouillon frais en supermarché.

MON CONSEIL

À la place du sachet de bouquet garni vous pouvez employer un bouquet d'herbes aromatiques fraîches attaché avec de la ficelle. Choisissez des herbes aromatiques comme du persil, du thym et du romarin.

Soupe Thaïlandaise aux Nouilles & au Poulet

*Rapide à préparer, cette soupe bien épicée est nourrissante et réconfortante. Si vous aimez
ce qui emporte la bouche, alors ajoutez un piment rouge émincé, frais ou sec, avec ses graines.*

Pour 4 à 6 personnes

INGRÉDIENTS

1 plaque de nouilles aux œufs sèches
venant d'un paquet de 250 g /
9 onces
1 cuil. à soupe d'huile
4 cuisses de poulet sans peau ni os,
coupées en dés
1 botte de ciboules, émincées
2 gousses d'ail, hachées

1 morceau de 2 cm / ³/₄ pouce de
gingembre frais, finement haché
850 ml / 1¹/₂ pinte / 3³/₄ tasses de
bouillon de poule
200 ml / 7 oz liquides / 1 petite tasse
de lait de coco
3 cuil. à café de pâte de curry
thaïlandais rouge

3 cuil. à soupe de beurre de cacahuètes
2 cuil. à soupe de sauce de soja légère
1 petit poivron rouge, haché
60 g / 2 onces / ¹/₂ tasse de petits pois
surgelés
sel, poivre

1 Mettez les nouilles dans un plat
creux et faites-les tremper dans
l'eau bouillante selon le mode d'emploi
sur le paquet.

2 Faites chauffer l'huile dans
une grande casserole ou un
wok, ajoutez le poulet et faites revenir
5 minutes en remuant jusqu'à ce qu'il
soit légèrement roux. Ajoutez le blanc
des ciboules, l'ail et le gingembre, faites
revenir 2 minutes sans cesser de
remuer. Ajoutez le bouillon, le lait de

coco, la pâte de curry, le beurre de
cacahuètes et la sauce de soja. Salez et
poivrez à volonté. Portez à ébullition
sans cesser de remuer puis laissez frémir
8 minutes en remuant de temps à autre.
Ajoutez le poivron rouge, les petits pois
et les tiges vertes des ciboules. Faites
cuire 2 minutes.

3 Ajoutez les nouilles égouttées et
faites-les réchauffer. Versez dans
des bols et servez avec une cuillère et
une fourchette.

VARIANTE

*Vous pouvez utiliser de la pâte de curry
thaïlandais verte si vous préférez
un goût moins épicé.*

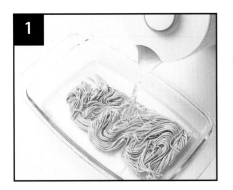

Soupe au Poulet & aux Pâtes

*Cette soupe copieuse est un bon plat pour le repas de midi ou du soir et vous pouvez utiliser
n'importe quel légume que vous avez sous la main. Les enfants raffolent des formes des petites pâtes.*

Pour 6 personnes

INGRÉDIENTS

350 g / 12 onces de blancs de poulet
  sans os
2 cuil. à soupe d'huile de tournesol
1 oignon moyen, coupé en morceaux
250 g / 9 onces / 1¹/₂ tasse de carottes
  coupées en dés

250 g / 9 onces de bouquets de
  chou-fleur
850 ml / 1¹/₂ pinte / 3³/₄ tasses de
  bouillon de poule
2 cuil. à café de fines herbes
  déshydratées

125 g / 4¹/₂ onces de petites pâtes à
  soupe
sel, poivre
parmesan (facultatif)
pain croustillant, pour accompagner

1 À l'aide d'un couteau bien aiguisé, coupez le poulet en petits dés et jetez la peau.

2 Faites chauffer l'huile dans une grande casserole et faites rapidement sauter le poulet et les légumes jusqu'à ce qu'ils soient légèrement colorés.

3 Ajoutez le bouillon et les fines herbes. Portez à ébullition et ajoutez les pâtes. Faites reprendre l'ébullition, couvrez et laissez frémir 10 minutes en remuant de temps à autre pour empêcher les pâtes de se coller les unes aux autres.

4 Salez et poivrez à volonté et saupoudrez de parmesan, au choix. Servez avec du pain frais bien croustillant.

MON CONSEIL

*Vous pouvez utiliser n'importe
quelles petites pâtes dans cette soupe.
Essayez des petites coquilles (conchigliette)
ou de petits anneaux (ditalini) ou même
des spaghettis coupés en petits morceaux.
Pour amuser les enfants, ajoutez des pâtes
alphabet ou en forme d'animaux.*

VARIANTE

*On peut utiliser du
brocoli à la place du
chou-fleur. Substituez
2 cuil. à soupe de fines herbes
fraîches hachées aux fines herbes
déshydratées.*

Consommé de Poulet

Voici un potage plein de goût, surtout s'il est préparé avec du vrai bouillon de poule.
On utilise des coquilles d'œufs pour lui donner une apparence claire et limpide.

Pour 8 à 10 personnes

INGRÉDIENTS

1,75 l / 3 pintes / 8 tasses de bouillon de poule
150 ml / ¼ de pinte / ⅔ de tasse de sherry demi-sec

4 blancs d'œufs plus leurs coquilles
125 g / 4 onces de poulet cuit, coupé en fines lamelles

sel, poivre

1 Mettez le bouillon de poule et le sherry dans une grande casserole et faites chauffer doucement 5 minutes.

2 Ajoutez les blancs d'œufs et les coquilles au bouillon et fouettez jusqu'à ébullition.

3 Retirez la casserole du feu et laissez le mélange retomber pendant 10 minutes. Répétez cette opération trois fois. Cela permet au blanc d'œuf de retenir les sédiments qui se trouvent dans le bouillon et ainsi de clarifier la soupe. Faites refroidir le consommé 5 minutes.

4 Placez soigneusement un morceau de fine étamine sur une casserole propre. Versez la soupe à la louche sur l'étamine et filtrez dans la casserole.

5 Répétez ce procédé deux fois puis réchauffez doucement le consommé. Salez et poivrez à volonté et ajoutez les lamelles de poulet cuit. Versez le potage dans une soupière chaude ou dans des assiettes creuses.

6 Garnissez le consommé comme il est suggéré dans Mon Conseil ci-dessous.

MON CONSEIL

Le consommé est généralement garni de pâtes fraîchement cuites, de nouilles, de riz ou de légumes à peine cuits. Vous pouvez aussi le garnir de lanières d'omelette, égouttées au préalable sur du papier absorbant.

Soupe au Curry de Poulet (Mulligatawny)

*Cette soupe épicée a été rapportée en occident par les militaires
et fonctionnaires britanniques à leur retour des Indes.*

Pour 4 personnes

INGRÉDIENTS

60 g / 2 onces / 4 cuil. à soupe de beurre
1 oignon, émincé
1 gousse d'ail, écrasée
500 g / 1 lb 2 onces de poulet, coupé
   en dés
60 g / 2 onces / ⅓ de tasse de lard de
   poitrine fumé, découenné et coupé
   en dés

1 petit navet, coupé en dés
2 carottes, coupées en dés
1 petite pomme à cuire, coupée en dés
2 cuil. à soupe de curry en poudre doux
1 cuil. à soupe de pâte de curry
1 cuil. à soupe de concentré de tomate
1 cuil. à soupe de farine

1,2 l / 2 pintes / 5 tasses de bouillon de
   poule
150 ml / ¼ de pinte / ⅔ de tasse de
   crème fraîche entière
sel, poivre
1 cuil. à café de coriandre fraîche
   hachée, en garniture

1 Faites fondre le beurre dans une
grande casserole et faites revenir
l'oignon, l'ail, le poulet et le lard de
poitrine pendant 5 minutes.

2 Ajoutez le navet, les carottes et la
pomme. Faites cuire 2 minutes
supplémentaires.

3 Incorporez le curry en poudre,
la pâte de curry, le concentré de
tomate et saupoudrez de farine.

4 Ajoutez le bouillon de poule et
portez à ébullition, couvrez et
laissez frémir doucement pendant
environ 1 heure.

5 Passez la soupe au mixeur. Faites
réchauffer, salez et poivrez à
volonté et incorporez peu à peu la
crème fraîche. Garnissez de coriandre
fraîche hachée et servez dans de petits
bols garnis de riz nature ou frit.

MON CONSEIL

*Cette soupe peut être congelée 1 mois
maximum. Si elle est conservée plus
longtemps, les épices risquent de lui
donner un goût de moisi.*

Soupe au Poulet & aux Pois

Une bonne soupe consistante, facile à faire, et pourtant pleine de goût.
Vous pouvez employer des petits pois ou des pois cassés jaunes ou verts.

Pour 4 à 6 personnes

INGRÉDIENTS

3 tranches de lard de poitrine fumée, découennées et coupées en dés
900 g / 2 lb de poulet, coupé en dés
1 gros oignon, haché
15 g / ¹/₂ once / 1 cuil à soupe de beurre

500 g / 1 lb 2 onces / 2¹/₂ tasses de pois prêts à l'emploi
2,4 l / 4 pintes / 10 tasses de bouillon de poule
150 ml / ¹/₄ de pinte / ²/₃ de tasse de crème fraîche entière

2 cuil. à soupe de persil frais, haché
sel, poivre
rôties au fromage, en garniture

1 Mettez le lard de poitrine, le poulet et l'oignon dans une grande casserole avec un peu de beurre et faites revenir à feu doux 8 minutes.

2 Ajoutez les pois et le bouillon, portez à ébullition, salez et poivrez légèrement, couvrez et laissez mijoter 2 heures.

3 Incorporez la crème à la soupe, saupoudrez de persil et disposez les rôties au fromage au centre. (Voir Mon Conseil ci-dessous).

MON CONSEIL

Ces rôties au fromage sont des tranches de baguette frites ou cuites au four, on peut ensuite les saupoudrer de fromage râpé et faire légèrement griller.

VARIANTE

Si vous le désirez, vous pouvez remplacer le lard de poitrine par 100 g / 3¹/₂ onces de jambon en dés.

MON CONSEIL

Si vous employez des pois secs, faites-les tremper plusieurs heures, voire la veille, dans un grand récipient d'eau froide. Ou bien, mettez-les dans une casserole d'eau froide et portez à ébullition. Retirez du feu et laissez refroidir dans l'eau. Égouttez et rincez les pois avant de les ajouter à la soupe.

Velouté de Poulet

L'estragon ajoute un subtil arôme d'anis à cette soupe délicieuse.
Si vous ne trouvez pas d'estragon, du persil pourra, lui aussi, donner un goût frais.

Pour 4 personnes

INGRÉDIENTS

60 g / 2 onces / 4 cuil. à soupe de
   beurre doux
1 gros oignon, épluché et haché
300 g / 10¹/₂ onces de poulet cuit,
   coupé en fines languettes

600 ml / 1 pinte / 2¹/₂ tasses de
   bouillon de poule
1 cuil. à soupe d'estragon frais haché
150 ml / ¹/₄ de pinte / ²/₃ de tasse de
   crème fraîche entière

sel, poivre
feuilles d'estragon, en garniture
croûtons frits, pour accompagner

1 Faites fondre le beurre dans une grande casserole et faites revenir l'oignon 3 minutes.

2 Ajoutez le poulet et 300 ml / ½ pinte / 1¼ tasse de bouillon de poule dans la casserole.

3 Portez à ébullition et laissez frémir 20 minutes. Laissez refroidir puis passez au mixeur pour obtenir un liquide homogène.

4 Ajoutez le reste du bouillon, salez et poivrez.

5 Ajoutez l'estragon haché, versez le velouté dans une soupière ou des assiettes creuses et décorez d'une spirale de crème fraîche.

6 Garnissez le velouté d'estragon frais et servez avec des croûtons frits.

VARIANTE

Pour faire des croûtons à l'ail, pilez 3 ou 4 gousses d'ail et ajoutez-les à l'huile.

VARIANTE

Si vous ne trouvez pas d'estragon frais, l'estragon lyophilisé constitue un excellent ingrédient de substitution. De la crème allégée peut remplacer la crème entière.

Potage de Poulet aux Boulettes de Coriandre

Faites de petites croquettes avec les légumes et le poulet égouttés. Écrasez-les tout simplement avec un peu de beurre, formez des ronds et faites-les dorer dans du beurre ou de l'huile.

Pour 6 à 8 personnes

INGRÉDIENTS

900 g / 2 lb de chair de poulet, émincée
60 g / 2 onces / ½ tasse de farine
125 g / 4½ onces / ½ tasse de beurre
3 cuil. à soupe d'huile de tournesol
1 grosse carotte, hachée
1 branche de céleri, hachée
1 oignon, haché
1 petit navet, haché
120 ml / 4 oz liquides / ½ tasse de
  sherry

1 cuil. à café de thym
1 feuille de laurier
1,75 l / 3 pintes / 8 tasses de bouillon
  de poule
sel, poivre
pain croustillant, pour accompagner

BOULETTES :
60 g / 2 onces / ½ tasse de farine avec
  poudre levante incorporée

60 g / 2 onces / 1 tasse de miettes de
  pain fraîches
2 cuil. à soupe de suif râpé
2 cuil. à soupe de coriandre fraîche,
  hachée
2 cuil. à soupe de zeste de citron
  finement râpé
1 œuf
sel, poivre

1 Enrobez les morceaux de poulet de farine et assaisonnez.

2 Faites fondre le beurre dans une casserole et faites-y légèrement dorer les morceaux de poulet.

3 Ajoutez l'huile dans la casserole et faites dorer les légumes. Ajoutez le sherry et le reste des ingrédients, sauf le bouillon.

4 Faites cuire 10 minutes puis mouillez avec le bouillon. Laissez mijoter 3 heures puis passez au-dessus d'une casserole propre et faites refroidir.

5 Pour faire les boulettes, mélangez tous les ingrédients secs dans un grand saladier propre. Ajoutez l'œuf et mélangez soigneusement puis ajoutez suffisamment de lait pour obtenir une pâte souple et humide.

6 Formez de petites boules et roulez-les dans un peu de farine.

7 Faites cuire les boulettes 10 minutes dans de l'eau bouillante salée.

8 Retirez-les délicatement avec une écumoire et ajoutez-les au potage. Faites cuire le tout encore 12 minutes et servez.

Soupe au Poulet Dickensienne

Cette soupe est à base d'ingrédients écossais traditionnels. Conservez-la deux jours avant de la réchauffer et servez avec du pain ou des galettes d'avoine.

Pour 4 personnes

INGRÉDIENTS

60 g / 2 onces / $^1/_3$ de tasse de pois secs, trempés

900 g / 2 lb de poulet coupé en dés, sans gras

1,2 l / 2 pintes / 5 tasses de bouillon de poule

600 ml / 1 pinte / $2^1/_2$ tasses d'eau

60 g / 2 onces / $^1/_4$ de tasse d'orge

1 grosse carotte, épluchée et coupée en dés

1 petit navet, épluché et coupé en dés

1 gros poireau, coupé en minces rondelles

1 oignon rouge, finement haché

sel, poivre blanc

1 Mettez les pois et le poulet dans une casserole, ajoutez le bouillon et l'eau. Portez lentement à ébullition.

2 Écumez le bouillon en cours d'ébullition avec une écumoire.

3 Quand toute la graisse a été enlevée, ajoutez l'orge lavée et du sel à volonté. Laissez frémir 35 minutes.

4 Ajoutez le reste des ingrédients et faites cuire à petit feu 2 heures.

5 Écumez à nouveau la surface de la soupe et laissez reposer au moins 24 heures. Faites réchauffer, ajustez l'assaisonnement et servez.

VARIANTE

Cette soupe est tout aussi délicieuse préparée avec du bœuf ou du mouton. Remplacez le poulet par 225 g / 8 onces d'aloyau de bœuf ou de filet de mouton maigres. Enlevez le gras et coupez la viande en fines languettes avant de l'utiliser.

MON CONSEIL

Utilisez des grains d'orge entiers ou de l'orge perlée. On n'enlève que l'enveloppe extérieure du grain d'orge entier, et une fois cuit il a un goût d'amande et est mou sous la dent.

Velouté de Poulet à l'Orange

Des citrons utilisés à la place des oranges donneront un goût plus acidulé.
Cette recette peut aussi être adaptée pour faire un velouté de canard à l'orange.

Pour 4 personnes

INGRÉDIENTS

60 g / 2 onces / 4 cuil. à soupe de beurre
8 échalotes, coupées en fines rondelles
2 carottes moyennes, coupées en fines rondelles
2 branches de céleri, coupées en fines rondelles

250 g / 8 onces de blancs de poulet sans peau, coupés en petits dés
3 oranges
1,2 l / 2 pintes / 5 tasses de bouillon de poule
150 ml / ¼ de pinte / ⅔ de tasse de crème fraîche entière

sel, poivre blanc
brin de persil et 3 rondelles d'orange, en garniture

1 Faites fondre le beurre dans une grande casserole, ajoutez les échalotes, la carotte, le céleri et le poulet. Faites cuire 8 minutes à feu doux en remuant de temps à autre.

2 À l'aide d'un éplucheur à pommes de terre ou d'un couteau bien aiguisé, épluchez finement les oranges et faites blanchir le zeste environ 3 minutes à l'eau bouillante.

3 Pressez le jus des oranges. Ajoutez le jus et le zeste des oranges ainsi que le bouillon de poule dans la casserole.

4 Portez lentement à ébullition et laissez mijoter 50 minutes. Faites refroidir puis passez au mixeur pour obtenir un liquide homogène.

5 Remettez le velouté dans la casserole, faites réchauffer et assaisonnez à volonté puis ajoutez la crème fraîche. À ce stade, ne laissez pas bouillir car le velouté risquerait de tourner.

6 Transférez dans une soupière ou des assiettes creuses. Décorez d'un brin de persil et de rondelles d'orange et servez avec du pain « levé » (voir Mon Conseil page 10).

VARIANTE

Remplacez les oranges par 2 petits citrons.
Quand vous utilisez les zestes, achetez soit des citrons biologiques soit des citrons sans cire ni paraffine.

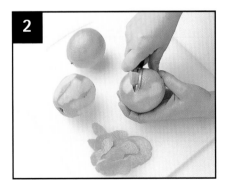

Soupe au Poulet, à la Pintade & aux Spaghettis

La consistance de la pintade est semblable à celle du poulet, et bien que son goût soit moins fort que celui d'autres gibiers à plumes il est tout de même plus prononcé que celui du poulet.

Pour 6 personnes

INGRÉDIENTS

500 g / 1 lb 2 onces de poulet sans
    peau, coupé en petits morceaux
500 g / 1 lb 2 onces de chair de pintade
    sans peau
600 ml / 1 pinte / 2$^{1}/_{2}$ tasses de
    bouillon de poule
1 petit oignon

6 grains de poivre
1 cuil. à café de clous de girofle
1 pincée de macis
150 ml / $^{1}/_{4}$ de pinte / $^{2}/_{3}$ de tasse de
    crème fraîche entière
2 cuil. à café de beurre
2 cuil. à café de farine

125 g / 4$^{1}/_{2}$ onces / 1 tasse de
    spaghettis à cuisson rapide, cassés
    en petits morceaux et cuits
2 cuil. à soupe de persil frais haché, en
    garniture

1 Mettez la chair de poulet et de pintade avec le bouillon de poule dans une grande casserole.

2 Portez à ébullition et ajoutez l'oignon, les grains de poivre, les clous de girofle et le macis. Laissez mijoter environ 2 heures, jusqu'à ce que le bouillon soit réduit d'un tiers.

3 Passez la soupe, dégraissez-la et enlevez les os de poulet et de pintade.

4 Mettez la soupe ainsi que la viande de poulet et de pintade dans une casserole propre. Ajoutez la crème fraîche et portez lentement à ébullition.

5 Pour faire un roux, faites fondre le beurre et ajoutez la farine en remuant jusqu'à l'obtention d'une pommade. Ajoutez à la soupe, remuez jusqu'à ce qu'elle se soit un peu épaissie.

6 Juste avant de servir, ajoutez les spaghettis cuits.

7 Transférez dans des assiettes creuses, parsemez de persil et servez.

VARIANTE

Vous pouvez remplacer les spaghettis par de petites pâtes, macaroni ou ziti par exemple.

Velouté de Poulet & de Tomate

Ce velouté est excellent préparé avec des tomates fraîches,
mais vous pouvez, au choix, utiliser des tomates en conserve.

Pour 2 personnes

INGRÉDIENTS

60 g / 2 onces / 4 cuil. à soupe de
  beurre doux
1 gros oignon, haché
500 g / 1 lb 2 onces de poulet, coupé
  en très fines languettes
600 ml / 1 pinte / 2½ tasses de
  bouillon de poule

6 tomates moyennes, finement
  hachées
1 pincée de bicarbonate de soude
1 cuil. à soupe de sucre en poudre
150 ml / ¼ pinte / ⅔ de tasse de
  crème fraîche entière

sel, poivre
feuilles de basilic frais, en garniture
croûtons, pour accompagner

1 Faites fondre le beurre dans une grande casserole et faites-y revenir 5 minutes les oignons et les languettes de poulet.

2 Ajoutez 300 ml / ½ pinte / 1¼ tasse de bouillon de poule ainsi que les tomates et le bicarbonate de soude.

3 Portez à ébullition et laissez frémir 20 minutes.

4 Faites refroidir le velouté et passez-le au mixeur.

5 Remettez le velouté dans la casserole, ajoutez le reste du bouillon de poule, assaisonnez et ajoutez le sucre. Versez dans une soupière et décorez d'une spirale de crème fraîche. Servez le velouté avec des croûtons et garnissez de basilic.

MON CONSEIL

Pour une version plus diététique,
remplacez la crème fraîche entière
par de la crème allégée et ignorez
le sucre.

VARIANTE

Pour un velouté à l'italienne, ajoutez
une cuillerée à soupe de basilic frais haché
au bouillon à l'étape 2. Vous pouvez
également ajouter ½ cuillerée à café
de curry ou de chili en poudre pour
un velouté plus épicé.

Soupe de Poulet aux Wontons

Cette soupe chinoise est délicieuse pour commencer
un repas asiatique ou en repas léger.

Pour 4 à 6 personnes

INGRÉDIENTS

FARCE :
350 g / 12 onces de poulet haché
1 cuil. à soupe de sauce de soja
1 cuil. à café de gingembre frais, râpé
1 gousse d'ail, écrasée
2 cuil. à café de sherry

2 ciboules, hachées
1 cuil. à café d'huile de sésame
1 blanc d'œuf
$^1/_2$ cuil. à café de Maïzena
$^1/_2$ cuil. à café de sucre
environ 35 enveloppes de wonton

SOUPE :
1,5 l / $2^3/_4$ pintes / 6 tasses de bouillon
   de poule
1 cuil. à soupe de sauce de soja légère
1 ciboule, émincée en lanières
1 petite carotte coupée en très fines
   lamelles

1 Mélangez bien tous les ingrédients de la farce.

2 Déposez une petite cuillerée de farce au centre de chaque enveloppe de wonton.

3 Humectez les bords et soudez-les de manière à former un chausson renfermant la farce.

4 Faites cuire les wontons farcis dans l'eau bouillante 1 minute ou jusqu'à ce qu'ils flottent à la surface.

5 Retirez à l'aide d'une écumoire. Portez le bouillon de poule à ébullition.

6 Ajoutez la sauce de soja, la ciboule, la carotte et les wontons à la soupe. Laissez cuire à feu doux 2 minutes et servez.

VARIANTE

Vous pouvez remplacer le poulet
par du porc haché.

MON CONSEIL

Vous trouverez des enveloppes
de wontons dans les épiceries chinoises
ou asiatiques. Les enveloppes fraîches
se trouvent en vitrine réfrigérée et elles
peuvent se congeler si vous le désirez.
Enveloppez-les de film fraîcheur
avant de les congeler.

Pommes de Terre en Robe des Champs au Poulet & au Fromage

Utilisez les blancs d'un poulet rôti pour ce plat léger, sain et délicieux.
Accompagné de crudités, c'est un repas léger idéal pour les jours d'été.

Pour 4 personnes

INGRÉDIENTS

4 grosses pommes de terre à cuire
    au four
250 g / 9 onces de blancs de poulet
    cuits, sans os

4 ciboules
250 g / 9 onces / 1 tasse de Quark ou
    fromage frais allégé
poivre

coleslaw (salade à base de chou cru),
    salade verte ou crudités, pour
    accompagner

1 Nettoyez soigneusement les pommes de terre et piquez-les sur toute leur surface avec une fourchette. Faites cuire environ 50 minutes à four préchauffé à 200°C / 400°F / th 6 jusqu'à ce qu'elles soient tendres, ou bien faites-les cuire au micro-ondes 12 à 15 minutes sur Maxi (100%).

2 Avec un couteau bien aiguisé, coupez le poulet en dés. Préparez les ciboules, coupez-les grossièrement et mélangez le tout avec le Quark ou le fromage frais allégé.

3 Coupez le dessus des pommes de terre en croix et ouvrez-les légèrement. Versez la garniture au poulet dans les pommes de terre et saupoudrez de poivre noir fraîchement moulu. Servez immédiatement accompagnées de coleslaw, d'une salade verte ou de crudités.

VARIANTE

Une autre garniture délicieuse : faites revenir 250 g / 9 onces de champignons de Paris dans un peu de beurre. Mélangez au poulet et ajoutez 150 g / 5^1/$_2$ onces / ^{2}/$_3$ de tasse de yaourt nature, 1 cuil. à soupe de concentré de tomate et 2 cuil. à café de curry en poudre doux. Mélangez bien et garnissez les pommes de terre de cette préparation.

MON CONSEIL

Vous trouverez le Quark en vitrine réfrigérée. C'est un fromage blanc frais, basses calories, fabriqué à partir de lait de vache, au goût fin, légèrement aigre.

Pilons de poulet glacés & Salsa à la Mangue

Ils sont délicieux servis chauds ou froids, et les restes de poulet peuvent facilement être emballés dans un panier-repas pour changer agréablement des sandwichs.

Pour 4 personnes

INGRÉDIENTS

8 pilons de poulet, sans peau
3 cuil. à soupe de chutney à la mangue
2 cuil. à café de moutarde de Dijon
2 cuil. à café d'huile
1 cuil. à café de paprika
1 cuil. à café de graines de moutarde noire, grossièrement pilées

½ cuil. à café de safran des Indes
2 gousses d'ail, écrasées
sel, poivre

SAUCE SALSA :
1 mangue, coupée en dés
1 tomate, finement hachée

½ oignon rouge, coupé en fines rondelles
2 cuil. à soupe de coriandre fraîche, hachée

1 Avec un couteau de cuisine bien aiguisé, faites 3 ou 4 entailles dans chaque pilon et mettez-les dans un plat à rôtir.

2 Dans un petit saladier, mélangez le chutney à la mangue, la moutarde, l'huile, les épices, l'ail, le sel et le poivre. Versez sur le poulet, tournez les pilons de manière à bien les enrober de ce glaçage.

3 Faites cuire 40 minutes à four préchauffé à 200°C / 400°F/ th 6 en badigeonnant plusieurs fois avec le glaçage en cours de cuisson, jusqu'à ce que le poulet soit bien roux et que le jus sorte clair quand on y enfonce une petite broche.

4 Pour faire la sauce salsa, mélangez la mangue, la tomate, l'oignon et la coriandre. Assaisonnez à volonté et conservez au réfrigérateur jusqu'à l'emploi.

5 Dressez les pilons de poulet sur un plat de service et servez chaud ou froid avec la sauce salsa à la mangue.

VARIANTE

Utilisez du curry en poudre doux à la place du safran des Indes.

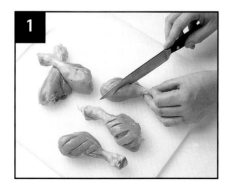

Canapés de Poulet

Ces délicieux canapés sont très bons par eux-mêmes en guise de repas léger
ou bien ils peuvent entrer dans la composition d'un pique-nique.

Pour 6 personnes

INGRÉDIENTS

6 tranches de pain de mie épaisses, ou une baguette coupée dans le sens de la longueur puis coupée en 6 morceaux, beurrées

3 œufs durs, le jaune passé au tamis et le blanc coupé menu

25 g / 1 once / 2 cuil. à soupe de beurre, ramolli

2 cuil. à soupe de moutarde anglaise

1 cuil. à café d'extrait d'anchois

250 g / 9 onces / 2 tasses de cheddar ou gruyère râpé

3 blancs de poulet cuits, sans peau, coupés en petits dés

12 rondelles de tomates

12 rondelles de concombre

poivre

1 Enlevez la croûte du pain (facultatif).

2 Réservez séparément le blanc et le jaune d'un œuf.

3 Dans un grand saladier, mélangez l'œuf restant avec le beurre ramolli, la moutarde anglaise et l'extrait d'anchois. Poivrez bien.

4 Ajoutez le fromage râpé et le poulet et tartinez le pain de ce mélange.

5 Alternez des rangées de blanc et de jaune d'œuf sur la garniture au poulet. Disposez les rondelles de tomate et de concombre sur l'œuf et servez.

MON CONSEIL

Pour ramollir le beurre, laissez-le 30 minutes à température ambiante ou bien, si vous manquez de temps, battez-le à la fourchette dans une terrine. Sinon, on trouve maintenant différentes sortes de beurre à tartiner en supermarché.

MON CONSEIL

Si vous préférez un goût moins fort, prenez une moutarde plus douce. Ajoutez de la mayonnaise si vous voulez, et garnissez de cresson.

VARIANTE

Si vous ajoutez au mélange au poulet et au fromage 50 g / 1³/4 onces de lardons grillés vous obtiendrez une garniture plus croustillante.

Piperade au Poulet

Toutes les couleurs et les saveurs du soleil de la Méditerranée
se retrouvent dans ce plat facile à préparer.

Pour 4 personnes

INGRÉDIENTS

8 cuisses de poulet, sans peau
2 cuil. à soupe de farine complète
2 cuil. à soupe d'huile d'olive
1 petit oignon, émincé
1 gousse d'ail, écrasée

1 gros poivron rouge, 1 jaune et 1 vert,
  émincés
1 boite de 400 g / 14 onces de tomates
  concassées
1 cuil. à soupe de marjolaine, hachée

sel, poivre
marjolaine fraîche, en garniture
pain complet croustillant, pour
  accompagner

1 Débarrassez les cuisses de poulet
de leur peau et enrobez-les de
farine.

2 Faites chauffer l'huile dans une
grande casserole et faites rissoler
les morceaux de poulet pour sceller
les sucs à l'intérieur. Retirez de la
casserole. Faites revenir l'oignon dans
la casserole, ajoutez l'ail, les poivrons,
les tomates et la marjolaine, portez à
ébullition tout en remuant.

3 Disposez le poulet sur les légumes,
salez et poivrez généreusement,
couvrez hermétiquement et laissez

mijoter 20 à 25 minutes ou jusqu'à ce
que le poulet soit complètement cuit
et tendre.

4 Assaisonnez à volonté, garnissez
de marjolaine et servez avec du
pain complet croustillant.

MON CONSEIL

Si vous n'avez pas de marjolaine fraîche,
utilisez des tomates en conserve déjà
aromatisées.

MON CONSEIL

Pour ajouter une saveur
supplémentaire, coupez les
poivrons en deux et
passez-les sous un gril
chauffé au préalable jusqu'à ce que la peau
soit carbonisée. Laissez refroidir, enlevez la
peau et les graines. Émincez les poivrons et
utilisez-les comme indiqué dans la recette.

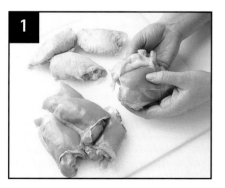

Croquettes de Poulet aux Herbes

Ces croquettes sont délicieuses servies avec une salade verte,
une sauce salsa aux légumes frais ou une sauce froide au piment rouge.

Pour 8 croquettes

INGRÉDIENTS

500 g / 1 lb 2 onces de purée de
 pommes de terre au beurre
250 g / 9 onces / 1^1/$_3$ tasse de poulet
 cuit, coupé en dés
125 g / 4^1/$_2$ onces / ^{2}/$_3$ de tasse de
 jambon blanc, coupé en petits dés

1 cuil. à soupe d'herbes fines
2 œufs, légèrement battus
lait
125 g / 4^1/$_2$ onces / 2 tasses de miettes
 de pain complet fraîches
de l'huile pour la friture

sel, poivre
un brin de persil, en garniture
crudités, pour accompagner

1 Dans un grand saladier, mélangez les pommes de terre, le poulet, le jambon, les herbes et 1 œuf. Assaisonnez bien.

2 Formez de petites boules ou des croquettes plates avec ce mélange.

3 Ajoutez un peu de lait au second œuf.

4 Mettez les miettes de pain dans une assiette. Trempez les croquettes dans le mélange œuf-lait puis roulez-les dans les miettes de pain de manière à les enrober complètement.

5 Faites chauffer l'huile dans une grande poêle et faites bien dorer les croquettes. Garnissez d'un brin de persil et servez avec des crudités.

MON CONSEIL

Un mélange d'estragon et de persil frais hachés ajoute saveur et fraîcheur à ces croquettes.

MON CONSEIL

Pour faire une sauce tomate à servir avec ces croquettes faites chauffer 200 ml / 7 oz liquides / ^{3}/$_4$ de tasse de passata (tomates tamisées) et 4 cuil. à soupe de vin blanc sec. Assaisonnez, retirez du feu et ajoutez 4 cuil. à soupe de yaourt nature. Remettez sur le feu et ajoutez du chili en poudre à volonté.

Morceaux de Poulet à l'Avoine

Cette recette très basses calories servie avec une sauce à la moutarde légère et rafraîchissante est idéale pour composer un panier-repas diététique ou bien, accompagnée de crudités, elle peut constituer un repas léger parfait.

Pour 4 personnes

INGRÉDIENTS

25 g / 1 once / ⅓ de tasse de flocons d'avoine

1 cuil. à soupe de romarin frais, haché

4 quartiers de poulet, sans peau

1 blanc d'œuf

150 g / 5½ onces / ½ tasse de fromage blanc allégé

2 cuil. à café de moutarde en grains

sel, poivre

carottes râpées, pour accompagner

1 Mélangez les flocons d'avoine, le romarin frais, le sel et le poivre.

2 Badigeonnez le blanc d'œuf sur chaque morceau de poulet puis enrobez du mélange aux flocons d'avoine. Disposez sur une plaque à four et faites cuire environ 40 minutes à four préchauffé à 200°C / 400°F / th 6, jusqu'à ce que le jus sorte clair quand on perce le poulet.

3 Dans un saladier, mélangez le fromage blanc et la moutarde en grains, salez et poivrez à volonté et servez cette sauce avec le poulet chaud ou froid, accompagné de carottes râpées.

VARIANTE

Pour faire des croquettes de poulet à l'avoine, coupez 4 blancs de poulet sans peau ni os en petits morceaux. Réduisez le temps de cuisson d'environ 10 minutes et vérifiez que le poulet est cuit à point. Ces croquettes sont idéales pour les pique-niques, buffets ou goûters d'enfants.

VARIANTE

Ajoutez une cuillerée à soupe de graines de sésame ou de tournesol au mélange de flocons d'avoine pour obtenir un mets encore plus croustillant. Essayez différentes herbes pour remplacer le romarin.

Solomongundy

Cette recette est un plat froid idéal à l'occasion d'un buffet, elle peut aussi constituer une entrée impressionnante pour un repas sortant de l'ordinaire.

Pour 4 personnes

INGRÉDIENTS

1 grosse laitue
4 blancs de poulet, cuits et émincés
8 rollmops et leur marinade
6 œufs durs coupés en quatre
125 g / 4¹/₂ onces / ²/₃ de tasse de jambon blanc, coupé en tranches
125 g / 4¹/₂ onces / ²/₃ de tasse de rôti de bœuf coupé en tranches

125 g / 4¹/₂ onces / ²/₃ de tasse de gigot d'agneau coupé en tranches
150 g / 5¹/₂ onces / 1 tasse de mange-tout cuits
125 g / 4¹/₂ onces / ³/₄ de tasse de raisins noirs sans pépins
20 olives fourrées, coupées en rondelles
12 échalotes, bouillies

60 g / 2 onces / ¹/₂ tasse d'amandes effilées
60 g / 2 onces / ¹/₃ de tasse de raisins de Smyrne
2 oranges
un brin de menthe
sel, poivre
pain frais croustillant, pour accompagner

1 Recouvrez un grand plat ovale de feuilles de laitue.

2 Dressez le poulet sur le plat de manière à former trois quartiers.

3 Disposez les rollmops, les œufs et les viandes soit en rangées soit en quartiers sur le reste du plat.

4 Remplissez l'espace entre les quartiers avec les mange-tout, les raisins noirs, les olives, les échalotes, les amandes et les raisins de Smyrne.

5 Râpez le zeste des oranges et parsemez-en sur tout le plat. Épluchez les oranges, coupez-les en rondelles et ajoutez ces dernières et le brin de menthe sur le tout. Salez et poivrez à volonté. Arrosez avec la marinade des rollmops et servez.

VARIANTE

Si vous le désirez, servez ce Solomongundy avec des légumes cuits froids, des haricots verts émincés, des pousses de maïs et des betteraves cuites par exemple.

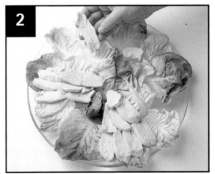

Pan-bagnat au Poulet

*Parfait pour un pique-nique ou pour un panier-repas,
ce sandwich de style méditerranéen peut être préparé à l'avance.*

Pour 6 personnes

INGRÉDIENTS

1 grande baguette
1 gousse d'ail
125 ml / 4 oz liquides / $^1/_2$ tasse d'huile
   d'olive

20 g / $^3/_4$ d'once de filets d'anchois en
   conserve
50 g / 2 onces de poulet rôti froid
2 grosses tomates, en rondelles

8 grosses olives noires, dénoyautées et
   hachées
poivre

1 À l'aide d'un bon couteau à pain, coupez la baguette en deux dans le sens de la longueur et ouvrez-la.

2 Coupez la gousse d'ail en deux et frottez-en le pain.

3 Arrosez la mie de pain d'huile d'olive.

4 Égouttez les anchois et réservez.

5 Émincez le poulet et mettez-le sur le pain. Disposez les rondelles de tomates et les anchois égouttés par-dessus.

6 Parsemez les morceaux d'olives noires dessus et saupoudrez généreusement de poivre noir. Reconstituez la baguette et enveloppez-la bien de papier d'aluminium jusqu'à l'emploi. Coupez en tranches avant de servir.

VARIANTE

À la place de la baguette, vous pouvez utiliser du pain italien, de la ciabatta ou de la focaccia piquée d'olives. Ces dernières années ont connu un véritable engouement pour les pains sortant de l'ordinaire, et on trouve aujourd'hui dans les grandes surfaces une grande variété de pains spéciaux de toutes origines.

MON CONSEIL

Disposez quelques feuilles de basilic frais ntre les rondelles de tomate pour ajouter une chaude saveur épicée. Une huile l'olive de bonne qualité ajoutera encore plus de goût à cette recette.

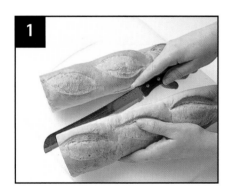

Poulet Froid à la Coloniale

Cette salade composée classique constitue une bonne entrée ou peut faire partie d'un buffet.
Du chutney à la mangue ajoute de la saveur.

Pour 6 personnes

INGRÉDIENTS

4 cuil. à soupe d'huile d'olive
900 g / 2 lb de chair de poulet, coupée
  en dés
125 g / 4¹/₂ onces / ²/₃ de tasse de lard
  de poitrine fumée, découenné et
  coupé en dés

12 échalotes
2 gousses d'ail écrasées
1 cuil. à soupe de curry doux en poudre
300 ml / ¹/₂ pinte / 1¹/₄ tasse de
  mayonnaise
1 cuil. à soupe de miel liquide

1 cuil. à soupe de persil frais, haché
90 g / 3 onces / ¹/₂ tasse de raisins
  noirs sans pépins, coupés en quatre
poivre
riz au safran froid, pour accompagner

---

1 Faites chauffer l'huile dans une
grande poêle et ajoutez le poulet,
le lard de poitrine, les échalotes, l'ail et
le curry en poudre. Faites cuire à feu
doux environ 15 minutes.

2 Transférez le mélange dans un
saladier propre.

3 Laissez refroidir complètement et
poivrez à volonté.

4 Mélangez la mayonnaise et un
peu de miel puis ajoutez le persil
haché. Mélangez le poulet à cette sauce.

5 Dressez dans un plat creux,
garnissez de raisins et servez
accompagné de riz au safran froid.

MON CONSEIL

Vous pouvez utiliser cette recette pour garnir
des pommes de terre en robe des champs ou
bien dans un sandwich, mais il vous faudra
alors couper le poulet en plus petits morceaux.

VARIANTE

Ajoutez 2 cuil. à soupe d'abricots
frais hachés et 2 cuil. à soupe
d'amandes effilées à la sauce,
au point 4. Pour une version
plus diététique de ce plat,
remplacez la mayonnaise
par la même quantité de yaourt
nature et ne mettez pas de miel
sinon la sauce serait trop liquide.

Terrine de Poulet Fumé

Cette recette peut se préparer quelques jours à l'avance et être conservée au réfrigérateur. Grâce au mixeur il est facile de bien mélanger les ingrédients mais vous pouvez également les malaxer auquel cas vous obtiendrez une consistance moins fine.

Pour 4 à 6 personnes

INGRÉDIENTS

350 g / 12 onces / 2^{1}/$_{2}$ tasses de poulet
  fumé, coupé en dés
une pincée de noix de muscade râpée
  et une de macis en poudre

125 g / 4^{1}/$_{2}$ onces / ^{1}/$_{2}$ tasse de beurre,
  ramolli
2 cuil. à soupe de porto
2 cuil. à soupe de crème fraîche entière

sel, poivre
1 brin de persil frais, en garniture
tranches de pain complet et beurre
  frais, pour accompagner

1 Mettez le poulet fumé et le reste des ingrédients dans un grand saladier. Salez et poivrez à volonté.

2 Malaxez jusqu'à ce que le mélange soit très homogène ou bien passez-le au mixeur.

3 Transférez le mélange dans une grande terrine ou dans de petites terrines individuelles en faïence.

4 Couvrez chaque terrine de papier cuisson beurré et mettez des boîtes de conserve ou des poids dessus pour tasser. Réfrigérez pendant 4 heures.

5 Enlevez le papier et recouvrez de beurre clarifié (voir Mon Conseil).

6 Décorez avec un brin de persil et servez accompagné de tranches de pain complet beurrées.

MON CONSEIL

La Terrine de Poulet Fumé peut se conserver 2 à 3 jours au réfrigérateur, mais pas plus car elle ne contient pas de conservateurs. Elle peut être congelée un mois maximum.

MON CONSEIL

Pour faire le beurre clarifié, mettez 250 g / 9 onces / 1 tasse de beurre dans une casserole et faites chauffer doucement en écumant au fur et à mesure que le beurre chauffe, les sédiments retomberont au fond de la casserole. Quand le beurre est complètement fondu, retirez la casserole du feu et laissez reposer au moins 4 minutes. Filtrez le beurre à travers une étamine au-dessus d'un saladier. Laissez le beurre un peu refroidir avant de l'étaler à la cuillère sur la terrine de poulet.

Pilons au fromage et à l'ail

*Parfaits pour les réunions entre amis, ces délicieux pilons de poulet peuvent être préparés
une journée à l'avance. Au lieu de les faire cuire au four, vous pouvez les faire cuire au barbecue.*

Pour 6 personnes

INGRÉDIENTS

15 g / ½ once / 1 cuil. à soupe de
  beurre
1 gousse d'ail écrasée
3 cuil. à soupe de persil frais, haché
125 g / 4½ onces / ½ tasse de ricotta

4 cuil. à soupe de parmesan râpé
3 cuil. à soupe de miettes de pain
  fraîches
12 pilons de poulet
sel, poivre

rondelles de citron, en garniture
assortiment de feuilles de salade, pour
  accompagner

1 Faites fondre le beurre dans une
casserole. Ajoutez l'ail et faites
revenir doucement en remuant pendant
1 minute, sans faire roussir.

2 Retirez la casserole du feu et
ajoutez le persil, les fromages et
les miettes de pain. Salez et poivrez à
volonté.

3 Décollez soigneusement la peau
autour des pilons de poulet.

4 À l'aide d'une cuillère à café,
insérez environ 1 cuil. à soupe
de farce sous la peau de chaque pilon.

Disposez les pilons dans un grand plat à
rôtir.

5 Faites cuire environ 45 minutes à
four préchauffé à 190°C / 375°F /
th 5. Garnissez de rondelles de citron
et servez chaud ou froid.

MON CONSEIL

*Vous pouvez utiliser n'importe quel autre
fromage fort à la place du parmesan.
Essayez un cheddar ou un gruyère un peu
piquant ou alors un autre fromage italien
comme le pecorino.*

MON CONSEIL

*Le parmesan fraîchement râpé a plus de
"mordant" que le parmesan râpé
préemballé que l'on trouve en supermarché.
Râpez uniquement la quantité dont vous
avez besoin et enveloppez le reste dans du
papier d'aluminium : il se conservera
plusieurs mois au réfrigérateur.*

Rarebit au Poulet

Ce savoureux toast au fromage et à la bière se suffit à lui-même
pour constituer un repas léger ou bien il peut accompagner un consommé.

Pour 4 personnes

INGRÉDIENTS

250 g / 9 onces / 2 tasses de fromage
râpé, wensleydale ou autre fromage
à pâte blanche friable
250 g / 9 onces / 1⅓ tasse de poulet
cuit, coupé en languettes
1 cuil. à soupe de beurre
1 cuil. à soupe de sauce Worcestershire

1 cuil. à café de moutarde anglaise en
poudre
2 cuil. à café de farine
4 cuil. à soupe de bière anglaise brune
légère
4 tranches de pain
sel, poivre

1 cuil. à soupe de persil frais haché, en
garniture
tomates cerises, pour accompagner

---

1 Mettez le fromage râpé, le poulet, le beurre, la sauce Worcestershire, la moutarde, la farine et la bière dans une petite casserole. Mélangez tous les ingrédients puis salez et poivrez à volonté.

2 Portez doucement à ébullition et retirez du feu aussitôt.

3 Remuez avec une cuillère en bois jusqu'à ce que le mélange ait une consistance crémeuse. Laissez refroidir.

4 Quand le mélange au poulet est refroidi, faites griller le pain des deux côtés et tartinez le mélange dessus.

5 Mettez sous un gril préchauffé jusqu'à ce que des bulles se forment et que le dessus soit doré.

6 Saupoudrez d'un peu de persil haché et servez immédiatement avec les tomates cerises.

MON CONSEIL

Ceci est une variante du Welsh Rarebit *qui, traditionnellement, ne contient pas de poulet. Le* Welsh Rarebit *surmonté d'un œuf poché s'appelle un* Buck Rarebit.

Salade Waldorf Estivale au Poulet

Ce plat coloré et diététique est une variante de la célèbre salade Waldorf.
Servi avec de petits pains complets et croustillants, c'est un repas léger idéal en été.

Pour 4 personnes

INGRÉDIENTS

500 g / 1 lb 2 onces de pommes
   rouges, coupées en dés
3 cuil. à soupe de jus de citron,
   fraîchement pressé
150 ml / ¼ de pinte / ⅔ de tasse de
   mayonnaise allégée

1 pied de céleri
4 échalotes, émincées
1 gousse d'ail, écrasée
90 g / 3 onces / ¾ de tasse de noix,
   hachées

500 g / 1 lb 2 onces de poulet cuit,
   coupé en dés
1 salade romaine
poivre
tranches de pomme et noix, en
   garniture

1 Dans un saladier, mettez les pommes, le jus de citron et 1 cuil. à soupe de mayonnaise. Laissez macérer 40 minutes.

2 Émincez le céleri avec un couteau bien aiguisé.

3 Ajoutez le céleri, les échalotes, l'ail et les noix aux pommes et mélangez.

4 Ajoutez le reste de la mayonnaise et mélangez soigneusement.

5 Ajoutez le poulet cuit et mélangez bien.

6 Tapissez un saladier en verre ou un plat de service de feuilles de salade. Entassez la salade de poulet au centre, saupoudrez de poivre et garnissez de tranches de pommes et de noix.

MON CONSEIL

Remplacez les échalotes par des ciboules et vous obtiendrez une saveur plus douce. Préparez les ciboules et coupez-les en fines rondelles.

MON CONSEIL

Tremper les pommes dans le jus de citron les empêche de s'oxyder.

Salade de Poulet Anglaise Épicée à l'Ancienne

Pour cette salade estivale, simple et rafraîchissante, vous pouvez utiliser des restes de poulet rôti, ou un poulet acheté tout cuit pour gagner du temps. Ajoutez la sauce juste avant de servir, autrement les épinards perdent de leur fraîcheur.

Pour 4 personnes

INGRÉDIENTS

250 g / 9 onces de feuilles de jeunes épinards
3 branches de céleri, coupées en fines rondelles
1/2 concombre
2 ciboules
3 cuil. à soupe de persil frais, haché

350 g / 12 onces de poulet rôti, désossé et émincé

ASSAISONNEMENT :
1 morceau de 2,5 cm / 1 pouce de gingembre frais, finement râpé
3 cuil. à soupe d'huile d'olive

1 cuil. à soupe de vinaigre de vin blanc
1 cuil. à soupe de miel liquide
1/2 cuil. à café de cannelle en poudre
sel, poivre
amandes fumées, en garniture (facultatif)

1 Lavez soigneusement les feuilles d'épinards, et épongez-les dans du papier absorbant.

2 Avec un couteau bien aiguisé, coupez le céleri, le concombre et les ciboules en fines rondelles. Mélangez aux feuilles d'épinards et au persil dans un grand saladier.

3 Transférez dans les assiettes de service et dressez le poulet sur les crudités.

4 Dans un bocal avec un couvercle à vis, mettez tous les ingrédients de l'assaisonnement et secouez pour bien mélanger. Salez et poivrez à volonté puis versez sur la salade. Saupoudrez, si vous voulez, de quelques amandes fumées.

VARIANTE

Remplacez, au choix, les épinards par de la mâche.

VARIANTE

Les feuilles des jeunes épinards frais se marient particulièrement bien avec les fruits. Essayez d'ajouter quelques framboises fraîches ou des tranches de nectarine pour composer une salade encore plus rafraîchissante.

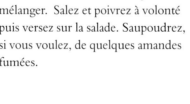

Suprêmes de Poulet avec Salade aux Poires & au Bleu

La douceur des poires est un complément parfait à la saveur piquante du fromage bleu dans cette délicieuse salade tiède.

Pour 6 personnes

INGRÉDIENTS

50 ml / 2 oz liquides / ¹/₄ de tasse d'huile d'olive
6 échalotes, émincées
1 gousse d'ail, écrasée
2 cuil. à soupe d'estragon frais, haché
1 cuil. à soupe de moutarde anglaise
6 blancs de poulet sans peau ni os
1 cuil. à soupe de farine

150 ml / ¹/₄ de pinte / ²/₃ de tasse de bouillon de poule
1 pomme, coupée en petits dés
1 cuil. à soupe de noix hachées
2 cuil. à soupe de crème fraîche entière
sel, poivre

SALADE :
250 g / 9 onces / 3¹/₂ tasses de riz cuit

2 grosses poires, coupées en dés
150 g / 5¹/₂ onces / 1 tasse de fromage bleu, coupé en dés
1 poivron rouge, coupé en dés
1 cuil. à soupe de coriandre fraîche, hachée
1 cuil. à soupe d'huile de sésame

1 Dans un grand saladier, mettez l'huile d'olive, les échalotes, l'ail, l'estragon et la moutarde. Assaisonnez bien et mélangez soigneusement tous ces ingrédients.

2 Mettez le poulet dans la marinade en veillant à ce qu'il soit complètement enrobé, couvrez de film fraîcheur et réfrigérez environ 4 heures.

3 Égouttez le poulet et réservez la marinade. Dans une grande sauteuse à revêtement anti-adhésif, faites rissoler le poulet 4 minutes sur les deux faces. Transférez dans un plat chaud.

4 Versez la marinade dans la sauteuse, portez à ébullition et saupoudrez de farine. Ajoutez le bouillon de poule, la pomme et les noix. Laissez frémir 5 minutes. Remettez le poulet dans la sauteuse avec la sauce, ajoutez la crème fraîche et faites cuire 2 minutes.

5 Mélangez tous les ingrédients de la salade, disposez-en un peu dans chaque assiette et garnissez avec le blanc de poulet et une cuillerée de sauce.

Recettes Rapides

L'un des merveilleux avantages du poulet est que, coupé en petits morceaux, il cuit très rapidement, ce qui représente un atout précieux pour ceux d'entre nous qui sont trop pressés pour passer beaucoup de temps à préparer les repas. Ce chapitre vous propose un choix de plats nutritifs délicieux qui ne demandent pas des heures de préparation. Les pâtes accompagnent très bien le poulet, et elles non plus ne sont pas longues à cuire. Le Roulé de Poulet à l'Italienne impressionnera vos invités en leur faisant croire que vous avez passé des heures à vos fourneaux : des blancs de poulet sont cuits avec une délicieuse garniture au basilic, aux noisettes et à l'ail puis servis sur un lit de pâtes, d'olives et de tomates séchées au soleil. Le poulet coupé en petits morceaux est également parfait pour les sautés à l'orientale, car il cuit plus rapidement et donne une chair savoureuse, tendre et moelleuse. Le Sauté Express aux Cacahuètes est un sauté croustillant servi avec des nouilles. Le risotto est aussi un choix excellent quand vous êtes à court de temps : vous trouverez deux recettes de risotto dans ce chapitre, que vous pourrez cependant adapter à l'infini !

Poulet Arlequin

*Ce plat simple, coloré, aiguisera l'appétit de toute la famille. Il est parfait
pour les jeunes enfants qui adoreront les formes amusantes des poivrons multicolores.*

Pour 4 personnes

INGRÉDIENTS

10 cuisses de poulet, sans peau ni os
1 oignon moyen
1 poivron rouge, 1 jaune, 1 vert,
    moyens

1 cuil. à soupe d'huile de tournesol
1 boîte de 400 g / 14 onces de tomates
    concassées
2 cuil. à soupe de persil frais haché

poivre
pain complet et salade verte, pour
    accompagner

1 Avec un couteau bien aiguisé, coupez les cuisses de poulet en morceaux de la taille d'une bouchée.

2 Épluchez et émincez l'oignon. Coupez les poivrons en deux, épépinez-les, et coupez-les en petits losanges.

3 Faites chauffer l'huile dans une poêle. Ajoutez le poulet et l'oignon et faites-les dorer rapidement.

4 Ajoutez les poivrons, faites cuire 2 à 3 minutes puis ajoutez les tomates et le persil, poivrez et mélangez.

5 Couvrez hermétiquement et laissez cuire à petit feu environ 15 minutes jusqu'à ce que le poulet et les légumes soient tendres. Servez chaud accompagné de pain complet et d'une salade verte.

MON CONSEIL

*Vous pouvez employer du persil déshydraté
à la place du persil frais, mais n'oubliez
pas qu'il faut moitié moins de persil
déshydraté que de persil frais.*

MON CONSEIL

*Si vous faites ce plat pour de
jeunes enfants, vous pouvez le faire
avec du poulet coupé menu
ou même haché.*

Enveloppes au Poulet & Légumes de Printemps à la Vapeur

Cette recette diététique a une délicate saveur de cuisine orientale, idéale pour de jeunes légumes d'été bien tendres. Il vous faudra de grandes feuilles d'épinards pour envelopper le poulet, mais assurez-vous que ce sont bien de jeunes feuilles.

Pour 4 personnes

INGRÉDIENTS

4 blancs de poulet, sans peau ni os
1 cuil. à café de citronnelle en poudre
2 ciboules, finement hachées
250 g / 9 onces / 1 tasse de carottes nouvelles

250 g / 9 onces / 1³/₄ tasse de courgettes nouvelles
2 branches de céleri
1 cuil. à café de sauce de soja légère

250 g / 9 onces / ³/₄ de tasse de feuilles d'épinards
2 cuil. à café d'huile de sésame
sel, poivre

1 Avec un couteau bien aiguisé, fendez un côté de chaque blanc de poulet pour former une grande poche. Saupoudrez l'intérieur de ces poches de citronnelle, de sel et de poivre et glissez-y les ciboules.

2 Préparez les carottes, les courgettes et le céleri et coupez-les en petits bâtonnets. Plongez-les 1 minute dans une casserole d'eau bouillante, égouttez, et passez-les dans la sauce de soja.

3 Enfoncez autant de légumes que possible dans chaque poche de poulet et repliez fermement de manière à y sceller toute la farce. S'il vous reste des légumes, mettez-les de côté. Lavez soigneusement les feuilles d'épinards, égouttez et épongez-les avec du papier absorbant. Entourez les blancs de poulet de feuilles d'épinards, recouvrez-les complètement en serrant. S'il est difficile d'envelopper le poulet parce que les feuilles sont trop dures, faites les ramollir quelques secondes à la vapeur.

4 Déposez les enveloppes de poulet dans le panier d'un cuiseur-vapeur et faites cuire à feu vif 20 à 25 minutes, suivant la grosseur, au bain-marie.

5 Faites sauter les bâtonnets de légumes et les feuilles d'épinards qui vous restent 1 ou 2 minutes dans l'huile de sésame et servez-les avec le poulet.

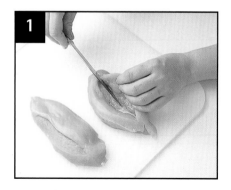

Poulet aux Deux Sauces aux Poivrons

Ce plat simple et rapide est coloré et diététique. Il convient parfaitement
pour un déjeuner ou un dîner léger improvisé.

Pour 4 personnes

INGRÉDIENTS

2 cuil. à soupe d'huile d'olive
2 oignons moyens, finement hachés
2 gousses d'ail, écrasées
2 poivrons rouges, hachés
une bonne pincée de poivre de
   Cayenne

2 cuil. à café de concentré de tomate
2 poivrons jaunes, hachés
une pincée de basilic déshydraté
4 blancs de poulet, sans peau ni os
150 ml / ¹/₄ de pinte / ²/₃ de tasse de
   vin blanc sec

150 ml / ¹/₄ de pinte / ²/₃ de tasse de
   bouillon de poule
bouquet garni
sel, poivre
fines herbes, en garniture

1 Prenez deux casseroles moyennes et faites chauffer 1 cuil. à soupe d'huile d'olive dans chaque. Mettez la moitié des oignons hachés, une des gousses d'ail, les poivrons rouges, le poivre de Cayenne et le concentré de tomate dans une des deux casseroles. Mettez le reste des oignons, de l'ail, les poivrons jaunes et le basilic dans l'autre casserole.

2 Couvrez les deux casseroles et faites cuire 1 heure à tout petit feu jusqu'à ce que les poivrons soient ramollis. Si l'un des mélanges se

dessèche, ajoutez un peu d'eau. Passez chaque mélange séparément au mixeur, puis au chinois.

3 Remettez chaque sauce dans sa casserole et assaisonnez. Les deux sauces peuvent être réchauffées à petit feu pendant que le poulet cuit.

4 Mettez les blancs de poulet dans une poêle, ajoutez le vin, le bouillon et le bouquet garni. Portez le liquide à ébullition imperceptible et laissez frémir environ 20 minutes jusqu'à ce que le poulet soit tendre.

5 Pour servir, versez une portion de chacune des sauces dans quatre assiettes, coupez le blanc de poulet en tranches et dressez-les sur les assiettes. Garnissez de fines herbes.

MON CONSEIL

Faites votre propre bouquet garni en attachant des brins de vos herbes aromatiques préférées avec de la ficelle ou en enveloppant des herbes déshydratées dans un morceau d'étamine. Thym, persil et laurier constituent un mélange courant.

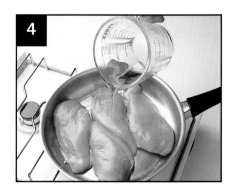

Risotto de Poulet à la Milanaise

Ce plat, célèbre à travers le monde, est sans doute le plus connu de tous les risottos italiens,
bien qu'il en existe de nombreuses variantes.

Pour 4 personnes

INGRÉDIENTS

125 g / 4$^{1}/_{2}$ onces / $^{1}/_{2}$ tasse de beurre
900 g / 2 lb de chair de poulet, coupée
en lanières
500 g / 1 lb 2 onces / 2$^{1}/_{2}$ tasses de riz
pour risotto

1 gros oignon, haché
600 ml / 1 pinte / 2$^{1}/_{2}$ tasses de
bouillon de poule
150 ml / $^{1}/_{2}$ pinte / $^{2}/_{3}$ de tasse de vin
blanc

1 cuil. à café de safran émietté
sel, poivre
60 g / 2 onces / $^{1}/_{2}$ tasse de parmesan
râpé, pour accompagner

1 Faites chauffer 60 g / 2 onces /
4 cuil. à soupe de beurre dans une
sauteuse et faites-y dorer les oignons et
le poulet.

2 Ajoutez le riz, mélangez bien et
faites cuire 15 minutes.

3 Portez le bouillon à ébullition
et ajoutez-le petit à petit au riz.
Ajoutez le vin blanc, le safran, du sel
et du poivre à volonté et mélangez bien.
Laissez mijoter à feu doux 20 minutes
en remuant de temps en temps et en
ajoutant du bouillon si le risotto se
dessèche trop.

4 Laissez reposer quelques minutes,
et juste avant de servir ajoutez
encore un peu de bouillon et laissez à
petit feu 10 minutes supplémentaires.
Servez le risotto saupoudré de parmesan
râpé et du beurre restant.

MON CONSEIL

Le risotto doit être moelleux, mais les grains
ne doivent pas se coller pour autant. Il faut
ajouter le bouillon par petites quantités, et
uniquement lorsque le bouillon versé au
préalable a été complètement absorbé.

VARIANTE

Les possibilités sont pour ainsi dire
infinies avec le risotto. Essayez d'ajouter
une des suggestions suivantes juste en
fin de cuisson : noix de cajou et maïs,
courgettes légèrement sautées et
basilic, ou encore topinambours
et pleurotes.

Poulet Elizabethain

Le poulet est étonnamment délicieux quand on le cuisine
avec des fruits tels que des raisins ou des groseilles à maquereau.

Pour 4 personnes

INGRÉDIENTS

15 g / ¹/₂ once / 1 cuil. à soupe de beurre
1 cuil. à soupe d'huile de tournesol
4 blancs de poulet, sans peau ni os
4 échalotes, finement hachées
1 cuil. à soupe de vinaigre de cidre

150 ml / ¹/₂ pinte / ²/₃ de tasse de
bouillon de poule
175 g / 6 onces / 1 tasse de raisins sans
pépins, coupés en deux
120 ml / 4 oz liquides / ¹/₂ tasse de
crème fraîche entière

1 cuil. à café de noix de muscade
fraîchement râpée
Maïzena, pour lier (facultatif)
sel, poivre

1 Faites chauffer le beurre et l'huile
dans une grande cocotte allant au
feu ou une casserole et faites dorer les
blancs de poulet à feu vif, en les
retournant une fois. Retirez les blancs
de poulet et réservez au chaud pendant
que vous faites cuire les échalotes.

2 Mettez les échalotes hachées dans
la casserole et faites-les revenir
doucement jusqu'à ce qu'elles soient
ramollies et légèrement dorées.
Remettez les blancs de poulet dans
la casserole.

3 Ajoutez le bouillon de poule et
le vinaigre de cidre, portez à
ébullition puis couvrez et laissez cuire
à petit feu 10 à 12 minutes en remuant
de temps en temps.

4 Transférez le poulet dans le plat
de service. Mettez les raisins,
la crème fraîche et la noix de muscade
dans la casserole, faites chauffer, salez
et poivrez à volonté. Ajoutez un peu
de Maïzena pour lier la sauce si vous
le désirez. Versez la sauce sur le poulet
et servez.

VARIANTE

Vous pouvez, au choix, ajouter un peu
de vin blanc sec ou de vermouth
à la sauce au point 3.

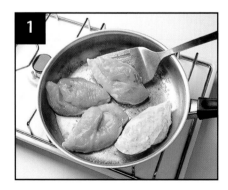

Sauté Express aux Cacahuètes

Un plat principal complet cuit en dix minutes. Des nouilles chinoises aux œufs sont un accompagnement parfait puisque leur cuisson rapide et facile peut s'effectuer pendant que le sauté est sur le feu.

Pour 4 personnes

INGRÉDIENTS

300 g / 10^1/$_2$ onces / 2 tasses de courgettes

250 g / 9 onces / 1^1/$_3$ tasse de pousses de maïs

300 g / 10^1/$_2$ onces / 3^3/$_4$ tasses de champignons de Paris

250 g / 9 onces / 3 tasses de nouilles chinoises aux œufs

2 cuil. à soupe d'huile de maïs

1 cuil. à soupe d'huile de sésame

8 cuisses de poulet, désossées, ou 4 blancs, émincés

350 g / 12 onces / 1^1/$_2$ tasse de germes de soja

4 cuil. à soupe de beurre de cacahuètes sans morceaux

2 cuil. à soupe de sauce de soja

2 cuil. à soupe de jus de citron ou de citron vert

60 g / 2 onces / ^{1}/$_2$ tasse de cacahuètes grillées

poivre

coriandre, en garniture

1 Avec un couteau bien aiguisé, préparez et émincez les courgettes, le maïs et les champignons.

2 Portez une grande casserole d'eau légèrement salée à ébullition et faites cuire les nouilles 3 à 4 minutes. Pendant ce temps, faites chauffer l'huile de maïs et l'huile de sésame dans une grande poêle ou un wok. Ajoutez le poulet et faites sauter 1 minute à feu assez vif.

3 Ajoutez les courgettes, le maïs et les champignons émincés et faites sauter 5 minutes tout en remuant.

4 Ajoutez les germes de soja, le beurre de cacahuètes, la sauce de soja, le jus de citron ou citron vert et le poivre. Faites cuire encore 2 minutes.

5 Égouttez les nouilles, transférez dans un plat de service et parsemez de cacahuètes. Servez avec

le poulet et les légumes sautés garnis d'un brin de coriandre fraîche.

MON CONSEIL

Essayez de servir ce sauté avec des bâtons de riz. Ce sont des nouilles en ruban, larges, claires et transparentes, faites à partir de semoule de riz.

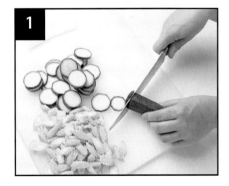

Coussinets de Poulet au Jambon de Parme

Ils sont farcis de ricotta crémeux, de muscade et d'épinards puis enveloppés
dans de très minces tranches de jambon de Parme et mitonnés dans du vin blanc.

Pour 4 personnes

INGRÉDIENTS

125 g / 4^{1}/$_{2}$ onces / ^{1}/$_{2}$ tasse d'épinards surgelés, décongelés
125 g / 4^{1}/$_{2}$ onces / ^{1}/$_{2}$ tasse de ricotta
une pincée de noix de muscade râpée
4 blancs de poulet, sans peau ni os, de 175 g / 6 onces chacun

4 tranches de jambon de Parme
25 g / 1 once / 2 cuil. à soupe de beurre
1 cuil. à soupe d'huile d'olive
12 petits oignons ou échalotes
125 g / 4^{1}/$_{2}$ onces / 1^{1}/$_{2}$ tasse de champignons de Paris, émincés

1 cuil. à soupe de farine
150 ml / ^{1}/$_{4}$ de pinte / ^{2}/$_{3}$ de tasse de vin rouge ou blanc sec
300 ml / ^{1}/$_{2}$ pinte / 1^{1}/$_{4}$ tasse de bouillon de poule
sel, poivre

1 Mettez les épinards dans une passoire et appuyez dessus avec une cuillère pour faire sortir l'eau. Mélangez la ricotta et la noix de muscade aux épinards, salez et poivrez à volonté.

2 À l'aide d'un couteau bien aiguisé, faites une entaille sur le côté de chaque blanc de poulet et agrandissez la coupe pour former une poche. Remplissez du mélange aux épinards, reformez les blancs de poulet et enveloppez chaque blanc d'une tranche de jambon en serrant bien. Maintenez en place avec des cure-dents. Couvrez et mettez au réfrigérateur.

3 Faites chauffer le beurre et l'huile dans une poêle et faites-y dorer les blancs de poulet 2 minutes de chaque côté. Transférez le poulet dans un grand plat creux allant au four et réservez au chaud.

4 Faites revenir les oignons et les champignons 2 à 3 minutes jusqu'à ce qu'ils commencent à dorer. Ajoutez la farine puis le vin et le bouillon petit à petit. Portez à ébullition sans cesser de remuer. Assaisonnez et versez cette sauce à la cuillère autour du poulet.

5 Faites cuire le poulet, à découvert, 20 minutes à four préchauffé à 200°C / 400°F / th 6. Retournez les blancs et prolongez la cuisson de 10 minutes. Retirez les cure-dents et servez le poulet et sa sauce avec de la purée de carottes et des haricots verts, si vous le désirez.

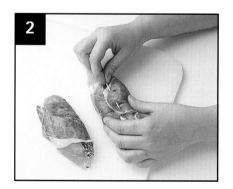

Blancs de Poulet Pochés à la Sauce au Whisky

Cuits au préalable avec des légumes dans du bouillon, ces blancs de poulet sont servis avec une sauce veloutée préparée à base de whisky et de crème fraîche.

Pour 6 personnes

INGRÉDIENTS

25 g / 1 once / 2 cuil. à soupe de beurre
60 g / 2 onces / ½ tasse de poireaux en lanières
60 g / 2 onces / ⅓ tasse de carottes, coupées en dés
60 g / 2 onces / ¼ de tasse de céleri, coupé en dés

4 échalotes, émincées
600 ml / 1 pinte / 2½ tasses de bouillon de poule
6 blancs de poulet
50 ml / 2 oz liquides / ¼ de tasse de whisky

200 ml / 7 oz liquides / une petite tasse de crème fraîche épaisse
2 cuil. à soupe de raifort fraîchement râpé
1 cuil. à café de miel, tiède
1 cuil. à café de persil frais, haché
sel, poivre
un brin de persil frais, en garniture

1 Faites fondre le beurre dans une grande casserole, ajoutez les poireaux, la carotte, le céleri et les échalotes. Faites revenir 3 minutes, ajoutez la moitié du bouillon de poule et faites cuire environ 8 minutes.

2 Ajoutez le reste du bouillon de poule, portez à ébullition, ajoutez les blancs de poulet et faites cuire 10 minutes.

3 Retirez le poulet et coupez-le en tranches minces. Mettez-les dans un grand plat chaud et réservez au chaud.

4 Dans une autre casserole, faites chauffer le whisky jusqu'à ce qu'il ait réduit de moitié. Passez le bouillon de poule au chinois, ajoutez au whisky et faites réduire de moitié.

5 Ajoutez la crème fraîche, le raifort et le miel. Faites cuire doucement, ajoutez le persil haché, salez et poivrez à volonté. Mélangez bien.

6 Versez un peu de la sauce au whisky autour du poulet et servez le reste dans une saucière.

7 Accompagnez de galettes de légumes faites avec les légumes de cuisson, de purée de pommes de terre et de légumes frais. Décorez d'un brin de persil.

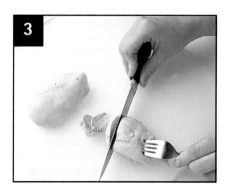

Poulet à la Diable

*Le poulet est relevé de poivre de Cayenne et de paprika
et accompagné d'une sauce aux fruits.*

Pour 2 à 3 personnes

INGRÉDIENTS

25 g / 1 once / $^1/_4$ de tasse de farine
1 cuil. à soupe de poivre de Cayenne
1 cuil. à café de paprika
350 g / 12 onces de poulet sans peau
 ni os, coupé en dés

25 g / 1 once / 2 cuil. à soupe de beurre
1 oignon, finement haché
450 ml / 16 oz liquides / $1^7/_8$ tasse de
 lait, tiède
4 cuil. à soupe de compote de pommes

125 g / $4^1/_2$ onces / $^3/_4$ de tasse de
 raisins blancs
150 ml / $^1/_4$ de pinte / $^2/_3$ de tasse de
 crème aigre
une pincée de paprika

1 Mélangez la farine, le poivre de Cayenne et le paprika et enrobez-en le poulet.

2 Secouez pour éliminer tout surplus de farine. Faites fondre le beurre dans une casserole et faites revenir délicatement le poulet et l'oignon 4 minutes.

3 Ajoutez le mélange de farine et d'épices puis ajoutez le lait petit à petit en remuant pour lier la sauce.

4 Laissez frémir jusqu'à ce que la sauce soit homogène.

5 Ajoutez la compote de pommes et les raisins. Laissez cuire à petit feu 20 minutes.

6 Transférez le poulet et la sauce à la diable dans un plat de service, versez de la crème aigre dessus et saupoudrez de paprika.

MON CONSEIL

Vous pouvez ajouter davantage de paprika, au choix. Comme c'est une épice relativement douce, vous pouvez en employer beaucoup sans que le goût soit trop dominant.

VARIANTE

Pour une version plus diététique, remplacez la crème aigre par du yaourt nature.

Roulé de Poulet à l'Italienne

La cuisson à la vapeur permet de cuisiner sans matières grasses et ces petites papillotes de papier d'aluminium conservent tous les sucs du poulet. Côté pratique, on les fait cuire au dessus des pâtes pendant leur cuisson.

Pour 4 personnes

INGRÉDIENTS

4 blancs de poulet, sans peau ni os
25 g / 1 once / 1 tasse de feuilles de basilic frais
15 g / ½ once / 2 cuil. à soupe de noisettes

1 gousse d'ail, écrasée
250 g / 9 onces / 2 tasses de pâtes torsadées au blé complet
2 tomates séchées au soleil, ou des tomates fraîches

1 cuil. à soupe de jus de citron
1 cuil. à soupe d'huile d'olive
1 cuil. à soupe de câpres
60 g / 2 onces / ½ tasse d'olives noires
sel, poivre

1 Frappez les blancs de poulet avec un rouleau à pâtisserie pour obtenir des morceaux d'une épaisseur régulière.

2 Hachez finement le basilic et les noisettes au mixeur. Mélangez à l'ail, au sel et au poivre.

3 Étalez le mélange au basilic sur les blancs de poulet et roulez-les, en commençant par une des largeurs, pour renfermer la farce. Enveloppez les rouleaux de poulet bien serrés dans du papier d'aluminium pour qu'ils conservent leur forme et scellez bien les deux bouts.

4 Portez une grande casserole d'eau légèrement salée à ébullition et faites cuire les pâtes al dente.

5 Mettez les papillotes de poulet dans le panier d'un cuiseur-vapeur ou dans une passoire au-dessus de la casserole, couvrez hermétiquement et faites cuire à la vapeur 10 minutes. Pendant ce temps, coupez les tomates en dés.

6 Égouttez les pâtes et remettez-les dans la casserole avec le jus de citron, l'huile d'olive, les tomates, les câpres et les olives. Faites chauffer ce mélange.

7 Percez le poulet avec une petite broche pour vous assurer que le jus qui en sort soit clair, et pas rosé, puis coupez le poulet en tranches, dressez sur les pâtes et servez.

VARIANTE

Les tomates séchées au soleil ont une saveur merveilleuse, mais si vous ne réussissez pas à en trouver, prenez des tomates fraîches.

Coussinets de Poulet à l'Ail

Farcis de ricotta crémeuse, d'épinards et d'ail, puis mitonnés dans une sauce riche à la tomate,
ces coussinets peuvent être préparés à l'avance.

Pour 4 personnes

INGRÉDIENTS

4 blancs de poulet, partiellement désossés
125 g / 4$\frac{1}{2}$ onces / $\frac{1}{2}$ tasse d'épinards
    surgelés, décongelés
150 g / 5$\frac{1}{2}$ onces / $\frac{1}{2}$ tasse de ricotta
2 gousses d'ail, écrasées
1 cuil. à soupe d'huile d'olive

1 oignon, haché
1 poivron rouge, émincé en rondelles
une boîte de 400 g / 14 onces de
    tomates concassées
6 cuil. à soupe de vin ou de bouillon de
    poule

10 olives fourrées, en rondelles
sel, poivre
pâtes, pour accompagner

1 Pratiquez une fente entre la peau et la chair sur un côté de chaque blanc de poulet. Relevez la peau pour former une poche en faisant attention à ne pas la détacher de l'autre côté.

2 Mettez les épinards dans une passoire et pressez avec une cuillère pour faire sortir le surplus d'eau. Mélangez-les à la ricotta, la moitié de l'ail et l'assaisonnement.

3 Enfoncez le mélange épinards-ricotta entre la chair et la peau de chaque blanc de poulet en vous aidant d'une cuillère puis fermez l'ouverture en y piquant un cure-dent.

4 Faites chauffer l'huile dans une poêle, faites-y revenir l'oignon 1 minute sans cesser de remuer. Ajoutez le reste de l'ail et le poivron, faites cuire 2 minutes. Ajoutez les tomates, le vin ou le bouillon, les olives et l'assaisonnement. Mettez la sauce de côté et le poulet au réfrigérateur si vous préparez le plat à l'avance.

5 Portez la sauce à ébullition, versez-la dans un plat creux allant au four et posez les blancs de poulet dessus en une seule couche.

6 Faites cuire, à découvert, 35 minutes à four préchauffé à 200°C / 400°F / th 6, jusqu'à ce que le poulet soit doré et cuit de part en part. Vérifiez la cuisson en incisant l'un des blancs avec une petite broche pour vous assurer que le jus est clair et non pas rosé. Versez un peu de sauce sur le poulet puis transférez dans les assiettes. Servez avec des pâtes.

Lanières de Poulet & Sauces Froides

*Très simple à préparer et facile à manger avec les doigts, ce plat peut se servir chaud
en guise de déjeuner léger, ou froid à l'occasion d'un buffet.*

Pour 2 personnes

INGRÉDIENTS

2 blancs de poulet sans os
15 g / ½ once / 2 cuil. à soupe de farine
1 cuil. à soupe d'huile de tournesol

SAUCE CACAHUÈTE :
3 cuil. à soupe de beurre de
  cacahuètes, avec ou sans morceaux
4 cuil. à soupe de yaourt nature
1 cuil. à café de zeste d'orange râpé
jus d'orange (facultatif)

SAUCE TOMATE :
5 cuil. à soupe de fromage blanc
  crémeux
1 tomate moyenne
2 cuil. à café de concentré de tomate
1 cuil. à café de ciboulette fraîche,
  ciselée

1 Avec un couteau bien aiguisé, coupez le poulet en lanières assez minces et enrobez-les de farine.

2 Faites chauffer l'huile dans une casserole à revêtement anti-adhésif et faites sauter le poulet jusqu'à ce qu'il soit doré et bien cuit. Retirez les lanières de poulet de la casserole et égouttez-les bien sur du papier absorbant.

3 Pour faire la sauce cacahuète, mélangez tous les ingrédients dans un saladier (si vous voulez, vous pouvez ajouter un peu de jus d'orange pour que la sauce soit moins épaisse).

4 Pour faire la sauce tomate, découpez la tomate et mélangez-la au reste des ingrédients.

5 Servez les lanières de poulet avec les sauces et un assortiment de bâtonnets de légumes à tremper dans les sauces.

VARIANTE

Pour une version basses calories, faites pocher les lanières de poulet 6 à 8 minutes dans un peu de bouillon de poule à ébullition.

VARIANTE

Pour faire une sauce guacamole rafraîchissante, mélangez un avocat écrasé, 2 ciboules finement hachées, 1 tomate hachée, une gousse d'ail écrasée et un peu de jus de citron. N'oubliez pas d'ajouter le citron aussitôt après avoir écrasé l'avocat pour qu'il ne s'oxyde pas.

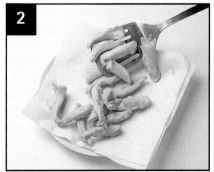
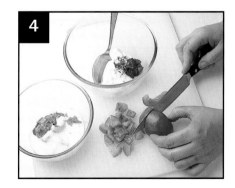

Poulet Lady Jayne

Vous pouvez aussi réaliser cette recette avec des blancs de poulet sans os, tout simplement.
Ce plat a un étonnant mélange d'arômes de café et de cognac.

Pour 4 personnes

INGRÉDIENTS

4 blancs ou suprêmes de poulet
  d'environ 125 g / 4¹/₂ onces chacun
4 cuil. à soupe d'huile de maïs
8 échalotes, émincées

zeste et jus d'un citron
2 cuil. à café de sauce Worcestershire
4 cuil. à soupe de bouillon de poule
1 cuil. à soupe de persil frais, haché

3 cuil. à soupe de liqueur de café
3 cuil. à soupe de cognac, chaud

1 Mettez les blancs ou suprêmes de poulet sur une planche à découper, couvrez-les de film fraîcheur et frappez-les avec un maillet attendrisseur de viande en bois ou un rouleau à pâtisserie pour bien les aplatir.

2 Faites chauffer l'huile dans une grande poêle et faites frire le poulet 3 minutes de chaque côté. Ajoutez les échalotes et faites cuire encore 3 minutes

3 Versez le jus et le zeste de citron, la sauce Worcestershire et le bouillon de poule sur le poulet. Faites cuire 2 minutes et saupoudrez de persil haché.

4 Ajoutez la liqueur de café et le cognac. Faites flamber le poulet en mettant le feu à l'alcool avec une longue allumette. Laissez chauffer jusqu'à ce que la flamme soit éteinte et servez.

MON CONSEIL

Un suprême est un filet de poulet qui est parfois rattaché à un bout de l'os de l'aile. On peut utiliser des blancs de poulet à la place.

MON CONSEIL

Si vous aplatissez les suprêmes, ils mettent moins longtemps à cuire.

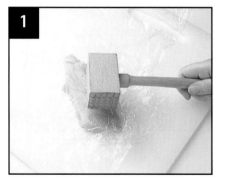

Poulet Glacé

*Dans cette délicieuse recette, les blancs de poulet sont enrobés
d'un glaçage doré et brillant aux saveurs douces et fruitées.*

Pour 6 personnes

INGRÉDIENTS

6 blancs de poulet sans os
1 cuil. à café de safran des Indes
1 cuil. à soupe de moutarde en grains
300 ml / ½ pinte / 1¼ tasse de jus
   d'orange

2 cuil. à soupe de miel liquide
2 cuil. à soupe d'huile de tournesol
350 g / 12 onces / 1½ tasse de riz à
   grains longs

1 orange
3 cuil. à soupe de menthe hachée
sel, poivre
brins de menthe, en garniture

1 Avec un couteau bien aiguisé, quadrillez la surface des blancs de poulet. Mélangez le safran des Indes, la moutarde, le jus d'orange et le miel, versez sur toute la surface du poulet. Mettez au réfrigérateur jusqu'à l'emploi.

2 Sortez le poulet de la marinade et épongez avec du papier absorbant.

3 Faites chauffer l'huile dans une grande casserole, ajoutez le poulet et faites sauter jusqu'à ce qu'il soit doré,

en le retournant une fois. Jetez ce qui reste d'huile. Versez la marinade sur le poulet, couvrez et laissez mijoter 10 à 15 minutes pour que le poulet soit tendre.

4 Faites bouillir le riz dans de l'eau légèrement salée jusqu'à ce qu'il soit moelleux, égouttez bien. Râpez finement le zeste d'orange et mélangez-le au riz ainsi que la menthe.

5 Avec un couteau bien aiguisé, enlevez l'écorce et la peau blanche de l'orange et divisez la chair en quartiers.

6 Servez le poulet avec le riz à l'orange et à la menthe, garni de quartiers d'orange et de brins de menthe.

VARIANTE

*Pour une sauce quelque peu plus acide,
remplacez les oranges par un petit
pamplemousse.*

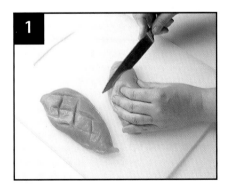

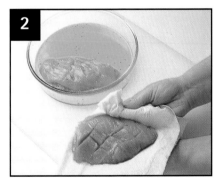

Poulet Méditerranéen en Papillotes

Cette méthode de cuisson donne au poulet un goût aromatisé et succulent. Elle réduit aussi la quantité d'huile nécessaire étant donné que le poulet et les légumes cuisent dans leur propre jus.

Pour 6 personnes

INGRÉDIENTS

1 cuil. à soupe d'huile d'olive
6 filets de blanc de poulet sans peau
250 g / 9 onces / 2 tasses de mozzarella

500 g / 1 lb 2 onces / 3$\frac{1}{2}$ tasses de courgettes, coupées en rondelles
6 grosses tomates, coupées en rondelles

1 petit bouquet de basilic ou d'estragon frais
riz ou pâtes, pour accompagner
poivre

1 Coupez 6 carrés de papier d'aluminium d'environ 25 cm / 10 pouces de côté. Badigeonnez d'un peu d'huile et mettez de côté.

2 À l'aide d'un couteau bien aiguisé, pratiquez plusieurs entailles parallèles dans le blanc de poulet puis coupez la mozzarella en tranches et insérez-les dans les entailles.

3 Répartissez les courgettes et les tomates entre les carrés de papier d'aluminium et saupoudrez de poivre noir. Déchiquetez ou hachez grossièrement les feuilles de basilic ou d'estragon et parsemez-en les légumes de chaque papillote.

4 Disposez le poulet sur chaque tas de légumes puis fermez le papier d'aluminium de manière à envelopper le poulet et les légumes, en repliant les extrémités pour bien sceller.

5 Mettez ces papillotes sur une plaque à four et faites cuire environ 30 minutes à four préchauffé à 200°C / 400°F / th 6.

6 Pour servir, ouvrez les papillotes et accompagnez de riz ou de pâtes.

MON CONSEIL

Pour faciliter la cuisson, placez le poulet et les légumes sur le côté brillant du papier d'aluminium de manière à ce que, une fois la papillote fermée, le côté mat du papier se trouve à l'extérieur. Ceci permet à la chaleur d'être absorbée vers l'intérieur et non pas réfléchie vers l'extérieur.

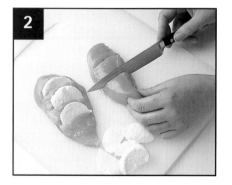

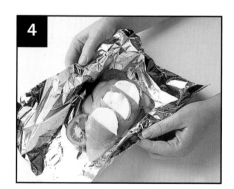

Sauté de Poulet, Maïs et Mange-tout

Ce plat diététique et rapide est sauté à l'orientale, ce qui implique que l'on n'utilise qu'un minimum de matières grasses. Si vous n'avez pas de wok, utilisez une grande poêle à la place.

Pour 4 personnes

INGRÉDIENTS

4 blancs de poulet, sans peau ni os
250 g / 9 onces / 1¹/₃ tasse de pousses de maïs
250 g / 9 onces de mange-tout

2 cuil. à soupe d'huile de tournesol
1 cuil. à soupe de vinaigre de sherry
1 cuil. à soupe de miel
1 cuil. à soupe de sauce de soja légère

1 cuil. à soupe de graines de tournesol
poivre
riz ou nouilles chinoises aux œufs, pour accompagner

1 À l'aide d'un couteau bien aiguisé, coupez le poulet en longues lanières minces. Coupez les pousses de maïs en deux dans le sens de la longueur et équeutez les mange-tout. Mettez ces légumes de côté.

2 Faites chauffer l'huile de tournesol dans un wok ou une grande poêle. Ajoutez le poulet et faites sauter 1 minute à feu assez vif sans cesser de remuer.

3 Ajoutez le maïs et les mange-tout et remuez 5 à 8 minutes sur feu modéré jusqu'à ce qu'ils soient bien cuits.

4 Mélangez le vinaigre de sherry, le miel et la sauce de soja. Ajoutez ce liquide dans la poêle avec les graines de tournesol. Poivrez à volonté. Faites cuire 1 minute sans cesser de remuer. Servez ce sauté très chaud avec du riz ou des nouilles chinoises aux œufs.

MON CONSEIL

Du vinaigre de riz ou de baume peuvent très bien remplacer le vinaigre de sherry.

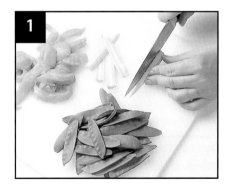

Quenelles de Poulet Panées

*Servies avec une sauce tomate crémeuse et onctueuse, et accompagnées
de pain aromatisé au fromage bien frais, voilà de quoi faire un excellent déjeuner léger.*

Pour 4 à 6 personnes

INGRÉDIENTS

175 g / 6 onces / 3 tasses de miettes de
  pain fraîches
250 g / 9 onces de poulet cuit, haché
1 petit poireau, finement haché

1 pincée de mélange d'herbes et 1 de
  moutarde en poudre
2 œufs, blancs et jaunes séparés
4 cuil. à soupe de lait

chapelure, pour enrober
25 g / 1 once / 2 cuil. à soupe de
  graisse de rôti de bœuf
sel, poivre

1 Dans un grand saladier, mélangez les miettes de pain, le poulet haché, le poireau, les herbes et la moutarde en poudre, salez et poivrez. Mélangez jusqu'à ce que la préparation soit bien homogène.

2 Ajoutez un œuf entier et un jaune d'œuf ainsi qu'un peu de lait pour lier le mélange.

3 Partagez le mélange en 6 ou 8 et formez soit de grosses saucisses soit des saucisses plus minces.

4 Fouettez le blanc d'œuf jusqu'à ce qu'il soit mousseux. Enrobez les quenelles d'abord de blanc d'œuf puis de chapelure.

5 Faites chauffer la graisse et faites frire les quenelles 6 minutes, jusqu'à ce qu'elles soient bien dorées. Servez.

MON CONSEIL

*Faites votre poulet haché vous-même en
passant des morceaux de poulet
maigres au mixeur.*

VARIANTE

*Si vous voulez réduire la teneur
en matières grasses saturées,
remplacez la graisse par un
peu d'huile à friture.*

Risotto de Poulet Doré

Si vous voulez, vous pouvez employer du riz à grains longs à la place du riz pour risotto mais il ne vous donnera pas le délicieux moelleux si typique du risotto italien traditionnel.

Pour 4 personnes

INGRÉDIENTS

2 cuil. à soupe d'huile de tournesol
15 g / ¹/₂ once / 1 cuil. à soupe de beurre ou de margarine
1 poireau moyen, émincé
1 gros poivron jaune, coupé en dés
3 blancs de poulet sans peau ni os, coupés en dés
350 g / 12 onces de riz à grains ronds

quelques brins de safran
1,5 l / 2³/₄ pintes / 6¹/₄ tasses de bouillon de poule
1 boîte de 200 g / 7 onces de maïs
60 g / 2 onces / ¹/₂ tasse de cacahuètes grillées non salées

60 g / 2 onces / ¹/₂ tasse de parmesan râpé
sel, poivre

1 Faites chauffer l'huile et le beurre ou la margarine dans une grande casserole. Faites revenir le poireau et le poivron pendant 1 minute puis ajoutez le poulet et faites-le dorer sans cesser de remuer.

2 Ajoutez le riz, remuez et faites cuire 2 à 3 minutes.

3 Ajoutez les brins de safran et du sel et du poivre à volonté, mélangez. Ajoutez le bouillon petit à petit, couvrez et laissez cuire à petit feu 20 minutes environ en remuant de temps à autre, le riz doit être tendre et moelleux et la plupart du liquide doit être absorbée. Ne laissez pas le risotto se dessécher, ajoutez du bouillon si nécessaire.

4 Ajoutez le maïs, les cacahuètes et le parmesan, mélangez et ajustez l'assaisonnement à volonté. Servez bien chaud.

MON CONSEIL

Les risottos peuvent être congelés, avant d'ajouter le parmesan, au maximum 1 mois, mais n'oubliez pas que celui-ci contient du poulet et qu'il doit donc être soigneusement réchauffé avant d'être consommé.

Parmentier Express au Poulet

Cette recette est un genre de hachis Parmentier et peut elle aussi être adaptée.
Ajoutez-y les légumes et herbes que vous voulez, suivant ce que vous avez sous la main.

Pour 4 personnes

INGRÉDIENTS

500 g / 1 lb 2 onces de poulet haché
1 gros oignon, finement haché
2 carottes, coupées en petits dés
25 g / 1 once / 2 cuil. à soupe de farine
1 cuil. à soupe de concentré de tomate
300 ml / 1¹/₂ pinte / 1¹/₄ tasse de
 bouillon de poule

une pincée de thym frais
900 g / 2 lb de purée de pommes de
 terre faite avec du beurre et du lait
 et très assaisonnée
90 g / 3 onces / ³/₄ de tasse de fromage
 à pâte blanche friable, Lancashire ou
 similaire, râpé

sel, poivre
petits pois, pour accompagner

1 Faites dorer le poulet haché, l'oignon et les carottes sans matières grasses pendant 5 minutes dans une poêle à revêtement anti-adhésif en remuant fréquemment.

2 Saupoudrez de farine et faites cuire à feu doux 2 minutes supplémentaires.

3 Ajoutez peu à peu le concentré de tomate et le bouillon. Laissez mijoter 15 minutes, assaisonnez et ajoutez le thym.

4 Transférez le poulet et les légumes dans une cocotte allant au four et laissez refroidir.

5 Étalez la purée de pommes de terre à la cuillère sur le mélange poulet-légumes et saupoudrez de fromage. Faites cuire 20 minutes à four préchauffé à 200°C / 400°F / th 6, ou jusqu'à ce que le fromage forme des bulles et soit doré. Servez avec les petits pois.

VARIANTE

Au lieu de Lancashire, vous pourriez parsemer d'un fromage aromatisé comme le Costwold, c'est un fromage doux à pâte pressée auquel on a ajouté de l'oignon et de la ciboulette, parfait pour les gratins. Vous pouvez également utiliser un mélange de fromages, suivant ce que vous avez sous la main.

"Toad in the Hole" de Tom

Cette variante originale de la recette britannique traditionnelle est à base de poulet et de saucisses de Cumberland cuits au four dans une pâte à crêpes et elle est présentée en portions individuelles.

Pour 4 à 6 personnes

INGRÉDIENTS

125 g / 4¹/₂ onces / 1 tasse de farine
une pincée de sel
1 œuf, battu

200 ml / 7 oz liquides / 1 petite tasse
de lait
75 ml / 3 oz liquides / ¹/₃ de tasse d'eau
2 cuil. à soupe de graisse de rôti de bœuf

250 g / 9 onces de blancs de poulet
250 g / 9 onces de saucisses de
Cumberland

1 Dans un saladier, mélangez la farine et le sel, faites un puits au centre et ajoutez l'œuf battu.

2 Ajoutez la moitié du lait et incorporez la farine petit à petit à l'aide d'une cuillère en bois.

3 Remuez le mélange jusqu'à ce qu'il soit bien homogène puis ajoutez le reste du lait et l'eau.

4 Continuez à mélanger pour obtenir une pâte sans grumeaux. Laissez reposer cette préparation au moins 1 heure.

5 Mettez la graisse dans un grand plat à four en métal ou dans de

petits plats individuels. Coupez le poulet et les saucisses de manière à avoir un bon morceau de chaque dans les petits plats ou bien des morceaux éparpillés sur toute la surface du grand plat.

6 Mettez le ou les plats 5 minutes au four préchauffé à 220°C / 425°F / th 7 jusqu'à ce qu'ils soient très chauds. Sortez du four et versez la pâte à crêpes dans le ou les plats, en laissant un peu de place pour que la pâte puisse gonfler.

7 Remettez au four et faites cuire 35 minutes jusqu'à ce que la pâte soit levée et bien dorée. N'ouvrez pas la porte du four durant la première demi-heure de cuisson minimum.

8 Servez très chaud avec de la sauce au jus de poulet ou à l'oignon, ou nature.

VARIANTE

Remplacez les blancs de poulet par de la cuisse de poulet sans peau ni os. Coupez comme il est indiqué dans la recette. À la place des saucisses de Cumberland, vous pouvez utiliser vos saucisses préférées.

Plats en Sauce & Rôtis

Une cuisson longue et à petit feu est synonyme de viande fondante, succulente et savoureuse. Comme le poulet par lui-même n'a pas tellement de goût, il se marie très bien avec la plupart des ingrédients, herbes ou épices. Les recettes de ce chapitre sont tirées de nombreuses traditions culinaires à travers le monde, certains plats nous viennent d'Italie, de France, de Hongrie, des Caraïbes et des États-Unis. Au nombre des recettes françaises classiques on trouve le Poulet Bourguignon ou encore l'Estouffade de Poulet à la Bretonne.

L'arôme du poulet rôti met toujours l'eau à la bouche. Ce chapitre comprend bien sûr la recette du poulet rôti traditionnel avec toute sa garniture mais aussi beaucoup d'autres préparations pleines d'originalité. Vous pourrez essayer des farces sortant de l'ordinaire comme celles aux courgettes et au citron vert, à la confiture d'oranges ou encore à l'avoine et aux herbes. Nombre des recettes de ce chapitre jouent sur les saveurs complémentaires du poulet et des fruits et on trouvera des mélanges d'arômes tout à fait alléchants, comme les airelles, les cerises noires, les pommes, les pêches, les oranges, ou encore les mangues.

Poulet Champêtre à l'Orange

Faible en matières grasses et riche en fibres, ce plat en sauce très coloré constitue un repas sain et nourrissant.

Pour 4 personnes

INGRÉDIENTS

8 pilons de poulet, sans peau
1 cuil. à soupe de farine complète
1 cuil. à soupe d'huile d'olive
2 oignons rouges moyens
1 gousse d'ail, écrasée
1 cuil. à café de graines de fenouil
1 feuille de laurier

zeste finement râpé et jus d'une petite orange
une boîte de 400 g / 14 onces de tomates concassées
une boîte de 400 g / 14 onces de flageolets ou de haricots blancs, égouttés
sel, poivre noir

GARNITURE :
3 tranches épaisses de pain complet
2 cuil. à café d'huile d'olive

1 Enrobez bien les pilons de farine. Faites chauffer l'huile dans une casserole à fond épais ou à revêtement anti-adhésif et faites dorer le poulet à feu relativement vif en le retournant fréquemment. Transférez dans une grande cocotte allant au four et réservez au chaud.

2 Coupez les oignons rouges en petits quartiers et faites-les dorer quelques minutes dans la cocotte. Ajoutez l'ail.

3 Ajoutez les graines de fenouil, la feuille de laurier, le jus et le zeste d'orange, les tomates, les haricots et l'assaisonnement.

4 Couvrez hermétiquement et faites cuire 30 à 35 minutes à four préchauffé à 190°C / 375°F / th 5 jusqu'à ce que le jus soit clair et non pas rosé quand on perce la partie la plus épaisse du poulet avec une petite broche en métal.

5 Pour la garniture, coupez le pain en petits dés et passez-les dans l'huile. Retirez le couvercle de la cocotte et déposez les dés de pain à la surface.

Prolongez la cuisson de 15 à 20 minutes, jusqu'à ce que le pain soit doré et croustillant. Servez très chaud.

MON CONSEIL

Choisissez des haricots conservés dans l'eau, sans addition de sucre ou de sel. Égouttez et rincez soigneusement avant l'emploi.

Ragoût de Poulet aux Épices

*Des épices, des herbes, des fruits, des amandes et des légumes sont mélangés
pour faire ce bon ragoût plein de saveur.*

Pour 4 à 6 personnes

INGRÉDIENTS

3 cuil. à soupe d'huile d'olive
900 g / 2 lb de chair de poulet en tranches
10 échalotes ou petits oignons blancs
3 carottes, hachées
60 g / 2 onces / ½ tasse de marrons, coupés
60 g / 2 onces / ½ tasse d'amandes effilées, grillées
1 cuil. à café de noix de muscade fraîchement râpée

3 cuil. à café de cannelle en poudre
300 ml / ½ pinte / 1¼ tasse de vin blanc
300 ml / ½ pinte / 1¼ tasse de bouillon de poule
175 ml / 6 oz liquides / ¾ de tasse de vinaigre de vin blanc
1 cuil. à soupe d'estragon frais, haché
1 cuil. à soupe de persil à feuilles plates frais, haché
1 cuil. à soupe de thym frais, haché

1 zeste d'orange râpé
1 cuil. à soupe de sucre brun
125 g / 4½ onces / ¾ de tasse de raisins noirs sans pépins, coupés en deux
sel marin, poivre
fines herbes, en garniture
riz sauvage ou purée de pommes de terre, pour accompagner

1 Faites chauffer l'huile d'olive dans une grande casserole, faites-y dorer le poulet, les échalotes ou les petits oignons et les carottes pendant environ 6 minutes.

2 Ajoutez tous les autres ingrédients, sauf les raisins, et faites mijoter environ 2 heures, jusqu'à ce que la viande soit très tendre. Remuez de temps à autre.

3 Ajoutez les raisins juste avant de servir. Accompagnez de riz sauvage ou de purée de pommes de terre. Décorez de fines herbes.

VARIANTE

Essayez différentes sortes de noix ou noisettes et de fruits, remplacez les amandes par des graines de tournesol et ajoutez 2 abricots frais hachés par exemple.

MON CONSEIL

Ce plat serait aussi délicieux servi avec d'épaisses tranches de pain complet croustillant pour tremper dans la sauce.

Hochepot Campagnard au Poulet

Il existe beaucoup de recettes régionales de hochepot, chacune utilisant des produits frais du terroir. De nos jours on trouve toute l'année une très grande variété d'ingrédients parfaits pour la cuisine au pot traditionnelle.

Pour 4 personnes

INGRÉDIENTS

4 quartiers de poulet
6 pommes de terre moyennes coupées en rondelles de 5 mm / ¼ de pouce d'épaisseur
2 brins de thym
2 brins de romarin

2 feuilles de laurier
200 g / 7 onces / 1 tasse de lard de poitrine fumé, découenné, coupé en dés
1 gros oignon, finement haché
200 g / 7 onces / 1 tasse de carottes en rondelles

150 ml / ¼ de pinte / ⅔ de tasse de bière brune
25 g / 1 once / 2 cuil. à soupe de beurre fondu
sel, poivre

1 Si vous voulez, enlevez la peau des quartiers de poulet.

2 Disposez une couche de rondelles de pommes de terre au fond d'une grande cocotte. Salez et poivrez puis ajoutez le thym, le romarin et le laurier.

3 Posez les morceaux de poulet dessus puis parsemez avec le lard de poitrine, l'oignon et les carottes. Assaisonnez bien et disposez le reste des rondelles de pommes de terre au-dessus en les faisant se chevaucher légèrement.

4 Arrosez de bière, badigeonnez les pommes de terre avec le beurre fondu et couvrez.

5 Faites cuire environ 2 heures à four préchauffé à 150°C / 300°F / th 2. Retirez le couvercle pour la dernière demi-heure de cuisson afin que les pommes de terre puissent dorer. Servez très chaud.

MON CONSEIL

Servez ce hochepot avec des boulettes de pâte pour en faire un repas vraiment consistant.

VARIANTE

Ce plat est également délicieux avec du collier de mouton coupé en petits morceaux. Vous pouvez ajouter d'autres légumes, suivant la saison. Essayez par exemple des poireaux et du rutabaga qui donneront une saveur plus douce.

Fricassée de Poulet à la Sauce au Citron Vert

*Le jus et le zeste de citron vert ajouté à cette fricassée de poulet
lui donnent un délicieux goût acidulé.*

Pour 4 personnes

INGRÉDIENTS

1 gros poulet coupé en petits
   morceaux
60 g / 2 onces / $^1/_2$ tasse de farine,
   assaisonnée
2 cuil. à soupe d'huile

500 g / 1 lb 2 onces de petits oignons
   ou d'échalotes, émincés
1 poivron vert et 1 rouge, émincés
150 ml / $^1/_4$ de pinte / $^2/_3$ de tasse de
   bouillon de poule

jus et zestes de 2 citrons verts
2 piments rouges, hachés
2 cuil. à soupe de sauce d'huître
1 cuil. à café de sauce Worcestershire
sel, poivre

1 Enrobez les morceaux de poulet de farine assaisonnée. Faites chauffer l'huile dans une grande poêle et faites bien dorer le poulet de toutes parts pendant environ 4 minutes.

2 Avec une écumoire, transférez le poulet dans une grande cocotte et parsemez d'oignons émincés. Réservez au chaud.

3 Faites revenir les poivrons à feu doux dans le jus qui reste dans la poêle.

4 Mouillez avec le bouillon de poule et le jus de citron vert, ajoutez le zeste et faites cuire encore 5 minutes.

5 Ajoutez les piments rouges, la sauce d'huître, et la sauce Worcestershire. Salez et poivrez à volonté.

6 Versez les poivrons et la sauce sur le poulet et les oignons.

7 Mettez un couvercle ou une feuille de papier d'aluminium sur la cocotte.

8 Faites cuire environ 1 h $^1/_2$ au milieu d'un four préchauffé à 190°C / 375°F / th 5, jusqu'à ce que le poulet soit très tendre. Servez.

MON CONSEIL

Essayez ce plat recouvert d'une couche de biscuits au fromage. Environ une demi-heure avant la fin de la cuisson, posez sur la fricassée des ronds découpés dans une abaisse de pâte à biscuits au fromage prête à l'emploi.

Poulet Bourguignon

Une recette inspirée du plat français classique.
Utilisez du vin de bonne qualité pour préparer la sauce.

Pour 4 à 6 personnes

INGRÉDIENTS

4 cuil. à soupe d'huile de tournesol
900 g / 1³/₄ lb de chair de poulet,
  coupée en gros dés
250 g / 9 onces / 3 tasses de
  champignons de Paris
125 g / 4¹/₂ onces / ²/₃ de tasse de lard
  de poitrine fumé, découenné, coupé
  en dés

16 échalotes
2 gousses d'ail, écrasées
1 cuil. à soupe de farine
150 ml / ¹/₄ de pinte / ²/₃ de tasse de
  Bourgogne blanc
150 ml / ¹/₄ de pinte / ²/₃ de tasse de
  bouillon de poule

1 bouquet garni (1 feuille de laurier, un
  brin de thym, une branche de céleri,
  du persil et de la sauge attachés avec
  une ficelle)
sel, poivre
des croûtons frits et un assortiment de
  légumes cuits, pour accompagner

1 Faites chauffer l'huile de
tournesol dans une cocotte
allant au four et faites dorer le poulet
de toutes parts. Retirez de la cocotte
avec une écumoire.

2 Faites revenir les champignons,
le lard de poitrine, les échalotes
et l'ail 4 minutes dans la cocotte.

3 Remettez le poulet dans la
cocotte, saupoudrez de farine.
Faites cuire encore 2 minutes en remuant.

4 Mouillez avec le Bourgogne et
le bouillon de poule et remuez
jusqu'à ébullition. Ajoutez le bouquet
garni, salez et poivrez à volonté.

5 Couvrez la cocotte et faites cuire
1 h ¹/₂ au milieu d'un four
préchauffé à 150°C / 300°F / th 2.
Retirez le bouquet garni.

6 Faites frire environ 8 grands
croûtons en forme de cœur dans
la graisse et servez avec le bourguignon.

MON CONSEIL

Vous pouvez remplacer le vin blanc
par un bon vin rouge ce qui vous
donnera une sauce riche
d'un rouge brillant.

Poulet au Four à la Villageoise

Ce plat cuit au four est un repas complet et bon marché. Il est recouvert de pain croustillant aromatisé aux herbes qui absorbe le jus savoureux, il n'y a donc pas besoin d'accompagner ce plat de pommes de terre ou de riz.

Pour 4 personnes

INGRÉDIENTS

2 cuil. à soupe d'huile de tournesol
4 quartiers de poulet
16 petits oignons entiers, épluchés
3 branches de céleri, émincées
1 boîte de 400 g / 14 onces de haricots
rouges

4 tomates moyennes, coupées en
quartiers
200 ml / 7 oz liquides / 1 petite tasse
de cidre sec ou de bouillon
4 cuil. à soupe de persil frais haché

1 cuil. à café de paprika
60 g / 2 onces / 4 cuil. à soupe de
beurre
12 tranches de baguette
sel, poivre

1 Faites chauffer l'huile dans une cocotte allant au feu et faites-y dorer les morceaux de poulet, deux par deux. Retirez le poulet avec une écumoire et mettez-le de côté.

2 Faites dorer les oignons dans la cocotte en remuant de temps à autre. Ajoutez le céleri et faites revenir 2 à 3 minutes. Remettez le poulet dans la cocotte, ajoutez les haricots, les tomates, le cidre et la moitié du persil, le sel et le poivre. Saupoudrez de paprika.

3 Couvrez et faites cuire 20 à 25 minutes à four préchauffé à 200°C

/ 400°F / th 6 jusqu'à le jus sorte clair si vous percez le poulet avec une petite broche.

4 Mélangez le reste du persil et le beurre et tartinez-en les tranches de pain.

5 Enlevez le couvercle de la cocotte, disposez les tranches de pain à la surface en les faisant se chevaucher et remettez la cocotte au four de 10 à 12 minutes jusqu'à ce que le pain soit doré et croustillant.

MON CONSEIL

Pour donner davantage de goût, vous pouvez ajouter une gousse d'ail écrasée au beurre persillé.

VARIANTE

Pour un plat à la saveur italienne, remplacez le pain aromatisé au persil et à l'ail par des canapés au pesto (voir page 208).

Goulache de Poulet à la Hongroise

Traditionnellement le goulache se prépare avec du bœuf mais dans cette recette on obtient d'excellents résultats avec du poulet. Pour réduire la teneur en matières grasses, remplacez la crème aigre par de la crème allégée.

Pour 6 personnes

INGRÉDIENTS

900 g / 1³/4 lb de chair de poulet, coupée en dés

60 g / 2 onces / ½ tasse de farine assaisonnée avec 1 cuil. à café de paprika, du sel et du poivre

2 cuil. à soupe d'huile d'olive

25 g / 1 once / 2 cuil. à soupe de beurre

1 oignon, émincé

24 échalotes, épluchées

1 poivron rouge et 1 vert, coupés en petits morceaux

1 cuil. à soupe de paprika

1 cuil. à café de romarin, écrasé

4 cuil. à soupe de concentré de tomate

300 ml / ½ pinte / 1¼ tasse de bouillon de poule

150 ml / ¼ pinte / ²/3 de tasse de Bordeaux rouge

1 boîte de 400 g / 14 onces de tomates concassées

150 ml / ¼ de pinte / ²/3 de tasse de crème aigre

1 cuil. à soupe de persil frais haché, en garniture

des morceaux de pain et une salade, pour accompagner

1 Passez le poulet dans la farine assaisonnée jusqu'à ce que les morceaux soient complètement enrobés.

2 Faites chauffer l'huile et le beurre dans une cocotte allant au feu. Faites revenir l'oignon, les échalotes et les poivrons 3 minutes.

3 Ajoutez le poulet et laissez encore 4 minutes sur le feu.

4 Saupoudrez de paprika et de romarin.

5 Ajoutez le concentré de tomate, le bouillon de poule, le Bordeaux, et les tomates concassées. Couvrez et faites cuire 1 h ½ au milieu d'un four préchauffé à 160°C / 325°F / th 3.

6 Retirez la cocotte du four, laissez reposer 4 minutes puis ajoutez la crème aigre et décorez de persil.

7 Servez accompagné de morceaux de pain et d'une salade.

VARIANTE

Accompagnez le goulache de nouilles plates au beurre à la place du pain. Pour une authentique touche hongroise, remplacez le Bordeaux par du vin de Hongrie.

Poulet Braisé à la Paysanne avec Boulettes au Romarin

Les légumes à racine comestible sont toujours bon marché et nourrissants.
Accommodés avec le poulet, ils font des plats savoureux et économiques.

Pour 4 personnes

INGRÉDIENTS

4 quartiers de poulet
2 cuil. à soupe d'huile de tournesol
2 poireaux moyens
250 g / 9 onces / 1 tasse de carottes, hachées
250 g / 9 onces / 2 tasses de panais, hachés

2 petits navets, hachés
600 ml / 1 pinte / 2½ tasses de bouillon de poule
3 cuil. à soupe de sauce Worcestershire
2 brins de romarin frais
sel, poivre

BOULETTES DE PÂTE :
200 g / 7 onces / 1¾ tasse de farine avec poudre levante incorporée
100 g / 3½ onces de suif râpé
1 cuil. à soupe de feuilles de romarin, ciselées
eau froide, pour délayer

1 Enlevez la peau du poulet si vous préférez. Faites chauffer l'huile dans une grande cocotte allant au feu ou une casserole à fond épais et faites-y dorer le poulet. Retirez le poulet de la cocotte avec une écumoire et égouttez la graisse.

2 Préparez les poireaux et coupez-les en rondelles, mettez-les dans la cocotte avec les carottes, les panais et les navets. Faites-les colorer environ 5 minutes. Remettez le poulet dans la cocotte.

3 Mouillez avec le bouillon de poule et la sauce Worcestershire. Ajoutez le romarin et l'assaisonnement et portez à ébullition.

4 Baissez le feu, couvrez et laissez mijoter environ 50 minutes, jusqu'à ce que le jus sorte clair quand on enfonce une petite broche dans le poulet.

5 Pour faire les boulettes de pâte, dans un saladier mélangez la farine, le suif, les feuilles de romarin,

le sel et le poivre. Ajoutez juste assez d'eau pour lier et former une pâte ferme.

6 Formez 8 petites boules et mettez-les sur le poulet et les légumes. Couvrez et prolongez la cuisson à feu doux de 10 à 12 minutes pour que les boulettes soient bien levées. Servez.

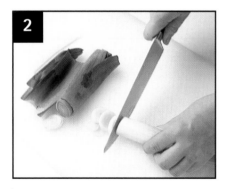

Poulet aux Échalotes en Sauce aux Champignons Sauvages & au Gingembre

Cette recette a des saveurs orientales qui peuvent être relevées encore davantage
avec des ciboules hachées, de la cannelle et de la citronnelle.

Pour 6 à 8 personnes

INGRÉDIENTS

6 cuil. à soupe d'huile de sésame
900 g / 1³/4 lb de chair de poulet
60 g / 2 onces / ¹/2 tasse de farine, assaisonnée
500 g / 1 lb 2 onces / 6 tasses de champignons sauvages, grossièrement hachés

32 échalotes, émincées
300 ml / ¹/2 pinte / 1¹/4 tasse de bouillon de poule
2 cuil. à soupe de sauce Worcestershire
1 cuil. à soupe de miel
2 cuil. à soupe de gingembre frais, râpé

150 ml / ¹/4 de pinte / ²/3 de tasse de yaourt
sel, poivre
persil à feuilles plates, en garniture
riz sauvage et riz blanc, pour accompagner

1 Faites chauffer l'huile dans une grande poêle. Enrobez le poulet de farine assaisonnée et faites bien dorer de toutes parts, environ 4 minutes. Transférez dans une grande cocotte et réservez au chaud.

2 Faites revenir les échalotes et les champignons dans le jus qui se trouve dans la poêle.

3 Ajoutez le bouillon de poule, la sauce Worcestershire, le miel et

le gingembre frais, salez et poivrez à volonté.

4 Versez la préparation sur le poulet et couvrez la cocotte avec un couvercle ou une feuille de papier d'aluminium.

5 Faites cuire environ 1 h ¹/2 au milieu d'un four préchauffé à 150°C / 300°F / th 2, pour que la viande soit très tendre. Ajoutez le yaourt et prolongez la cuisson de 10 minutes.

Servez avec un mélange de riz sauvage et de riz blanc et décorez de persil frais.

MON CONSEIL

Les champignons peuvent se conserver au réfrigérateur 24 à 36 heures. Mettez-les dans des sacs en papier car ils ont tendance à "suer" dans du plastique. Il n'est pas nécessaire d'enlever la peau des champignons mais il faut soigneusement laver les champignons sauvages.

Hochepot de la Jamaïque

Une manière savoureuse de tirer le maximum du poulet. Ce ragoût consistant,
épicé de l'arôme chaud et subtil du gingembre est un bon choix pour Halloween.

Pour 4 personnes

INGRÉDIENTS

2 cuil. à café d'huile de tournesol
4 pilons de poulet
4 cuisses de poulet
1 oignon moyen
750 g / 1 lb 10 onces de courge ou de
   potiron, coupés en dés
1 poivron vert, coupé en lanières

2,5 cm / 1 pouce de gingembre frais,
   finement haché
1 boîte de 400 g / 14 onces de tomates
   concassées
300 ml / ½ pinte / 1¼ tasse de
   bouillon de poule
60 g / 2 onces / ¼ de tasse de lentilles

sel d'ail, poivre de Cayenne
1 boîte de 350 g / 12 onces de maïs
pain croustillant, pour accompagner

1 Faites chauffer l'huile dans une grande cocotte allant au feu et faites-y dorer les morceaux de poulet de toutes parts en les retournant fréquemment.

2 Avec un couteau bien aiguisé, épluchez et émincez l'oignon, épluchez le potiron ou la courge et coupez en dés. Épépinez le poivron et coupez-le en lanières.

3 Jetez la graisse qui reste dans la poêle et ajoutez l'oignon, le potiron et le poivron. Faites revenir doucement quelques minutes jusqu'à ce qu'ils soient légèrement dorés.

Ajoutez le gingembre haché, les tomates, le bouillon de poule et les lentilles. Assaisonnez légèrement de sel, d'ail et de poivre de Cayenne.

4 Couvrez la cocotte et faites cuire environ 1 heure à four préchauffé à 190°C / 375°F / th 5, jusqu'à ce que les légumes soient tendres et que le jus sorte clair quand on perce le poulet avec une petite broche.

5 Ajoutez le maïs égoutté et prolongez la cuisson de 5 minutes. Assaisonnez à volonté et servez avec du pain croustillant.

VARIANTE

Si vous ne trouvez pas de gingembre frais, ajoutez 1 cuil. à café de piment de la Jamaïque qui apportera un arôme chaud et parfumé.

VARIANTE

Si vous ne trouvez ni potiron ni courge, remplacez-les par du rutabaga.

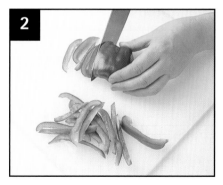

Fricassée de Poulet à l'Ail

Voici une variante inattendue de cassoulet où le poulet remplace le canard ou le mouton. Pour gagner du temps, utilisez des haricots en conserve, des haricots blancs ou coco par exemple, les deux espèces convenant très bien à ce plat.

Pour 4 personnes

INGRÉDIENTS

4 cuil. à soupe d'huile de tournesol
900 g / 1³/₄ lb de chair de poulet, coupée en petits morceaux
250 g / 9 onces / 3 tasses de champignons émincés
16 échalotes
6 gousses d'ail, écrasées

1 cuil. à soupe de farine
250 ml / 9 oz liquides / 1 tasse de vin blanc
250 ml / 9 oz liquides / 1 tasse de bouillon de poule
1 boîte de 400 g / 14 onces de haricots coco

1 bouquet garni (1 feuille de laurier, un brin de thym, du céleri, du persil, de la sauge attachés avec de la ficelle)
sel. poivre
petits pâtissons, pour accompagner

1 Faites chauffer l'huile de tournesol dans une cocotte allant au four et faites-y dorer le poulet de toutes parts. Retirez le poulet de la cocotte avec une écumoire et mettez-le de côté.

2 Faites revenir les champignons, les échalotes et l'ail 4 minutes dans la graisse qui se trouve dans la cocotte.

3 Remettez le poulet dans la cocotte, saupoudrez de farine et faites cuire encore 2 minutes.

4 Mouillez avec le vin blanc et le bouillon de poule, remuez jusqu'à ébullition puis ajoutez le bouquet garni. Salez et poivrez bien.

5 Égouttez les haricots, rincez soigneusement et ajoutez-les à la fricassée.

6 Couvrez et faites cuire 2 heures au milieu d'un four préchauffé à 150°C / 300°F / th 2. Enlevez le bouquet garni, et servez la fricassée avec de petits pâtissons.

MON CONSEIL

Les champignons sont parfaits dans un régime basses calories car ils ont beaucoup de goût mais ne contiennent pas de matières grasses. Essayez les nombreuses variétés qui sont maintenant en vente dans les supermarchés.

MON CONSEIL

Servez la fricassée avec du riz complet pour en faire un plat encore plus copieux.

Ragoût de Poulet Anglais Traditionnel à la Bière

Ce ragoût traditionnel, bien mitonné, apporte de la chaleur les jours d'hiver. Les rarebits (toasts au fromage et à la bière) sont un accompagnement parfait pour boire le bon jus mais vous pouvez aussi servir ce ragoût avec des pommes de terre au four.

Pour 4 à 6 personnes

INGRÉDIENTS

4 grosses cuisses de poulet, sans peau
2 cuil. à soupe de farine
2 cuil. à soupe de moutarde anglaise en poudre
2 cuil. à soupe d'huile de tournesol
15 g / ½ once / 1 cuil. à soupe de beurre
4 petits oignons
600 ml / 1 pinte / 2½ tasses de bière

2 cuil. à soupe de sauce Worcestershire
3 cuil. à soupe de feuilles de sauge fraîche, hachées
sel, poivre

RAREBITS (TOASTS AU FROMAGE) :
60 g / 2 onces / ½ tasse de fromage fort, cheddar, gruyère ou similaire, râpé

1 cuil. à café de moutarde anglaise en poudre
1 cuil. à café de farine
1 cuil. à café de sauce Worcestershire
1 cuil. à soupe de bière
2 tranches de pain de mie complet

1 Enlevez du poulet le gras superflu et enrobez bien de farine et de moutarde en poudre. Faites chauffer l'huile de tournesol et le beurre dans une grande cocotte allant au feu et faites dorer le poulet à feu assez vif en le retournant de temps à autre. Retirez le poulet de la cocotte avec une écumoire et réservez au chaud.

2 Épluchez les oignons, coupez-les en quartiers et faites-les dorer à feu vif. Ajoutez le poulet, la bière, la sauce Worcestershire, la sauge fraîche et du sel et du poivre à volonté. Portez à

ébullition, couvrez et laissez mijoter très doucement environ 1 h ½ pour que le poulet soit très tendre

3 Pendant ce temps, faites les rarebits : mélangez le fromage, la moutarde en poudre, la farine, la sauce Worcestershire et la bière. Tartinez les toasts de ce mélange et mettez-les sous un gril très chaud environ 1 minute pour que le fromage soit fondu et doré, coupez en triangles.

4 Ajoutez les feuilles de sauge au ragoût, remuez, portez à ébullition

et servez accompagné des rarebits, de légumes verts et de pommes de terre nouvelles.

MON CONSEIL

Si vous n'avez pas de sauge fraîche, utilisez 2 cuil. à café de sauge déshydratée au point 2.

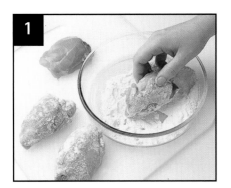

Estouffade de Poulet à la Bretonne

Un plat unique bien copieux qui constitue un solide déjeuner ou dîner. Comme il met longtemps à cuire, doublez les quantités et congelez-en la moitié pour un autre jour.

Pour 6 personnes

INGRÉDIENTS

500 g / 1 lb 2 onces / 2½ tasses de haricots, flageolets ou similaires, trempés la veille et égouttés
25 g / 1 once / 2 cuil. à soupe de beurre
3 tranches de lard de poitrine, découenné, en petits dés

2 cuil. à soupe d'huile d'olive
900 g / 1¾ lb de morceaux de poulet
1 cuil. à soupe de farine
300 ml / ½ pinte / 1¼ tasse de cidre
150 ml / ¼ de pinte / ⅔ de tasse de bouillon de poule

14 échalotes
2 cuil. à soupe de miel, chauffé
250 g / 8 onces de betterave cuite
sel, poivre

1 Faites cuire les haricots environ 25 minutes dans de l'eau bouillante salée.

2 Faites chauffer le beurre et l'huile d'olive dans une cocotte allant au feu, ajoutez le lard de poitrine et le poulet et faites revenir environ 5 minutes.

3 Saupoudrez de farine puis mouillez avec le cidre et le bouillon de poule sans cesser de remuer pour éviter la formation de grumeaux. Salez et poivrez à volonté et portez à ébullition.

4 Ajoutez les haricots puis couvrez la cocotte hermétiquement avec un couvercle ou du papier d'aluminium. Faites cuire 2 heures au milieu d'un four préchauffé à 160°C / 325°F / th 3.

5 Environ 15 minutes avant la fin de la cuisson, enlevez le couvercle ou le papier d'aluminium de la cocotte.

6 Dans une poêle, faites cuire les échalotes et le miel à feu doux pendant 5 minutes en remuant fréquemment.

7 Ajoutez les échalotes et la betterave cuite à l'estouffade et laissez au four pour le dernier ¼ d'heure de cuisson.

MON CONSEIL

Pour gagner du temps, remplacez les haricots secs par des haricots en conserve, que vous égoutterez et rincerez avant de les ajouter au poulet.

Ragoût de Poulet Méditerranéen

Un ragoût plein de couleurs dans lequel on retrouve de nombreux parfums qui s'exhalent au soleil de la Méditerranée. Les tomates séchées au soleil ajoutent une saveur merveilleuse, et il suffit de quelques unes pour faire de ce plat quelque chose de vraiment spécial.

Pour 4 personnes

INGRÉDIENTS

8 cuisses de poulet
2 cuil. à soupe d'huile d'olive
1 oignon rouge moyen, émincé
2 gousses d'ail, écrasées
1 gros poivron rouge, grossièrement
   coupé en morceaux
le zeste finement coupé et le jus d'une
   petite orange

125 ml / 4 oz liquides / $\frac{1}{2}$ tasse de
   bouillon de poule
1 boîte de 400 g / 14 onces de tomates
   concassées
25 g / 1 once / $\frac{1}{2}$ tasse de tomates
   séchées au soleil, émincées
1 cuil. à soupe de thym frais, haché

50 g / 1$\frac{3}{4}$ once / $\frac{1}{2}$ tasse d'olives
   noires dénoyautées
sel, poivre
brins de thym et zeste d'orange, en
   garniture
pain frais croustillant, pour
   accompagner

1 Dans une grande poêle à fond épais ou à revêtement anti-adhésif, faites dorer le poulet, sans matière grasse, à feu assez vif en le retournant de temps à autre. Avec une écumoire, égouttez tout surplus de graisse du poulet et transférez-le dans une cocotte allant au feu.

2 Faites revenir l'oignon, l'ail et le poivron dans la poêle à feu modéré pendant 3 ou 4 minutes. Transférez dans la cocotte.

3 Ajoutez le zeste et le jus d'orange, le bouillon de poule, les tomates en conserve et les tomates séchées au soleil. Mélangez bien.

4 Portez à ébullition, mettez un couvercle sur la cocotte et faites mijoter à tout petit feu pendant environ 1 heure en remuant de temps en temps. Ajoutez le thym frais haché et les olives noires dénoyautées. Ajoutez du sel et du poivre si nécessaire.

5 Parsemez le thym et le zeste d'orange sur le ragoût et servez avec du pain croustillant.

MON CONSEIL

Les tomates séchées au soleil ont une consistance ferme et un goût concentré. Elles ajoutent un goût intense aux plats mitonnés.

Poulet au Madère "à la Française"

Le Madère est un vin muté à l'alcool qui peut s'utiliser aussi bien dans les plats sucrés que dans les plats salés. Ici, il ajoute une riche saveur à cette sauce.

Pour 8 personnes

INGRÉDIENTS

25 g / 1 once / 2 cuil. à soupe de beurre
20 petits oignons
250 g / 9 onces / 1 1/2 tasse de carottes, en rondelles
250 g / 9 onces / 1 1/2 tasse de lard de poitrine, en petits dés
250 g / 9 onces / 3 tasses de champignons de Paris

1 poulet d'environ 1,5 kg / 3 lb 5 onces
425 ml / 15 oz liquides / 1 7/8 tasse de vin blanc
25 g / 1 once / 1/4 de tasse de farine assaisonnée
425 ml / 15 oz liquides / 1 7/8 tasse de bouillon de poule

bouquet garni
150 ml / 1/4 de pinte / 2/3 de tasse de Madère
sel, poivre
purée de pommes de terre ou pâtes, pour accompagner

1 Faites chauffer le beurre dans une grande poêle et faites-y revenir les oignons, les carottes, le lard de poitrine et les champignons pendant 3 minutes en remuant fréquemment. Transférez dans une grande cocotte.

2 Faites dorer le poulet de toutes parts dans la poêle. Transférez dans la cocotte avec les légumes et le lard de poitrine.

3 Ajoutez le vin blanc et faites chauffer jusqu'à ce que le vin soit presque complètement réduit.

4 Saupoudrez de farine assaisonnée en remuant pour empêcher la formation de grumeaux.

5 Mouillez avec le bouillon de poule, salez et poivrez à volonté et ajoutez le bouquet garni. Couvrez et faites cuire 2 heures. Environ 30 minutes avant la fin de la cuisson ajoutez le Madère et continuez la cuisson à découvert.

6 Découpez le poulet et servez avec de la purée de pommes de terre ou des pâtes.

MON CONSEIL

Vous pouvez ajouter n'importe quel mélange d'herbes à cette recette. Le cerfeuil est une herbe courante dans la cuisine française mais il faut l'ajouter en fin de cuisson pour ne pas perdre sa délicate saveur. Le persil et l'estragon sont aussi des herbes qui se marient bien avec le poulet.

Poulet de Printemps & Petites Galettes

Des légumes de printemps sont à la base de ce ragoût coloré garni de petites galettes de froment qui en font un repas familial sain et complet.

Pour 4 personnes

INGRÉDIENTS

8 pilons de poulet sans peau
1 cuil. à soupe d'huile
1 petit oignon, émincé
350 g / 12 onces / 1½ tasse de jeunes carottes
2 jeunes navets
125 g / 4½ onces / 1 tasse de fèves ou de petits pois
1 cuil. à café de Maïzena

300 ml / ½ pinte / 1¼ tasse de bouillon de poule
2 feuilles de laurier
sel, poivre

GALETTES POUR LA GARNITURE :
250 g / 9 onces / 2 tasses de farine complète
2 cuil. à café de levure chimique

25 g / 1 once / 2 cuil. à soupe de margarine de tournesol
2 cuil. à café de moutarde en grains en poudre
60 g / 2 onces / ½ tasse de fromage râpé (cheddar, gruyère ou similaire)
lait écrémé, pour délayer
graines de sésame, pour saupoudrer

1 Faites dorer le poulet dans l'huile en retournant les pilons de temps à autre. Égouttez bien et transférez dans une cocotte. Faites revenir l'oignon 2 à 3 minutes.

2 Lavez et préparez les carottes et les navets et coupez-les en morceaux d'égale grosseur. Mettez-les dans la cocotte avec les oignons et les fèves ou les petits pois.

3 Délayez la Maïzena avec un peu de bouillon, ajoutez le reste du bouillon et portez doucement à ébullition sans cesser de remuer. Versez dans la cocotte, ajoutez les feuilles de laurier, le sel et le poivre.

4 Couvrez hermétiquement et faites cuire 50 à 60 minutes à four préchauffé à 200°C / 400°F / th 6, jusqu'à ce que le jus sorte clair quand on perce le poulet avec une petite broche.

5 Pour les galettes, tamisez la farine et la levure. Ajoutez la margarine, mélangez à la fourchette. Ajoutez la moutarde, le fromage et suffisamment de lait pour former une pâte assez souple.

6 Étalez la pâte et découpez 16 ronds avec un emporte-pièce de 4 cm / 1½ pouce. Enlevez le couvercle de la cocotte, disposez les ronds de pâte à la surface, badigeonnez-les de lait et parsemez de graines de sésame. Remettez au four 20 minutes environ, jusqu'à ce que les galettes soient fermes et dorées.

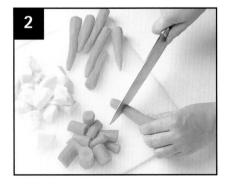

Poulet Californien

Si vous avez le temps, il vaut mieux désosser le poulet complètement,
ou bien utilisez des blancs de poulet après avoir retiré tout le gras et la peau.

Pour 4 à 6 personnes

INGRÉDIENTS

175 g / 6 onces / 1$^{1}/_{2}$ tasse de farine
1 cuil. à café de paprika
1 cuil. à café d'assaisonnement italien
    lyophilisé
1 cuil. à café d'estragon lyophilisé
1 cuil. à café de romarin, finement
    écrasé

2 œufs, battus
120 ml / 4 oz liquides / $^{1}/_{2}$ tasse de lait
1 poulet d'environ 2 kg / 4 lb, découpé
    farine assaisonnée
150 ml / $^{1}/_{4}$ de pinte / $^{2}/_{3}$ de tasse
    d'huile de colza
2 bananes, coupées en quatre

1 pomme, coupée en rondelles
1 boîte de 350 g / 12 onces de maïs et
    poivrons mélangés, égouttés
huile pour la friture
sel, poivre
cresson et sauce au raifort ou au
    poivre en grains, pour accompagner

1 Mélangez la farine, les épices, les herbes et une pincée de sel dans un grand saladier. Formez un puits au centre et ajoutez les œufs.

2 Mélangez et ajoutez le lait peu à peu en fouettant jusqu'à l'obtention d'une pâte liquide et sans grumeaux.

3 Enrobez les morceaux de poulet de farine assaisonnée et trempez-les dans la pâte.

4 Faites chauffer l'huile dans une grande poêle. Ajoutez le poulet et faites frire environ 3 minutes pour qu'il soit doré de toutes parts. Disposez les morceaux de poulet sur une plaque à four à revêtement anti-adhésif.

5 Enrobez les bananes et les rondelles de pomme de pâte et faites-les frire 2 minutes.

6 Pour terminer, passez le mélange de maïs et de poivrons dans le reste de pâte.

7 Faites chauffer un peu d'huile dans une poêle et versez des cuillerées du mélange maïs-poivrons pour faire des beignets plats. Faites cuire 4 minutes de chaque côté. Retirez de la poêle et réservez au chaud avec les beignets de banane et de pomme.

8 Faites cuire le poulet environ 25 minutes à four préchauffé à 200°C / 400°F / th 6, jusqu'à ce qu'il soit tendre et doré.

9 Dressez le poulet, les beignets de maïs, de banane et de pomme sur un lit de cresson frais. Servez avec de la sauce au raifort ou aux grains de poivre.

Poulet aux Petits Oignons & aux Petits Pois

Le gras de porc ajoute une saveur agréable à ce plat. Si vous ne trouvez pas de petits pois frais, vous pouvez très bien les remplacer par des petits pois surgelés.

Pour 4 personnes

INGRÉDIENTS

250 g / 9 onces / 1 tasse de lard gras de porc, coupé en petits dés
60 g / 2 onces / 4 cuil. à soupe de beurre
1 kg / 2 lb 4 onces de morceaux de poulet sans os

16 petits oignons ou échalotes
25 g / 1 once / ¼ de tasse de farine
600 ml / 1 pinte / 2½ tasse de bouillon de poule

bouquet garni
500 g / 1 lb 2 onces / 4 tasses de petits pois frais
sel, poivre

1 Faites bouillir de l'eau salée dans une casserole, jetez-y le lard et laissez frémir 3 minutes. Égouttez et épongez le lard dans du papier absorbant.

2 Faites fondre le beurre dans une grande poêle, faites-y légèrement dorer le lard et les oignons pendant 3 minutes.

3 Retirez le lard et les oignons, mettez-les de côté. Faites dorer les morceaux de poulet de toutes parts dans la poêle. Transférez le poulet dans une cocotte allant au four.

4 Mettez la farine dans la poêle, faites chauffer en remuant jusqu'à ce qu'elle commence à roussir puis mouillez peu à peu avec le bouillon de poule.

5 Faites cuire le poulet, la sauce et le bouquet garni 35 minutes à four préchauffé à 200°C / 400°F / th 6.

6 Retirez le bouquet garni environ 10 minutes avant la fin de la cuisson, ajoutez les petits pois ainsi que le lard et les oignons que vous avez mis de côté. Mélangez.

7 Une fois la cuisson terminée, dressez les morceaux de poulet dans un grand plat de service, entourez des petits pois, du lard et des oignons.

MON CONSEIL

Si vous voulez réduire la teneur en matières grasses de ce plat, remplacez le lard gras par du lard de poitrine maigre coupé en petits dés.

Poulet de Fête aux Pommes

*Dans cette recette, une farce savoureuse est insérée entre les blancs et la peau du poulet, par conséquent,
non seulement le goût reste à l'intérieur, mais en plus le poulet ne perd ni moelleux ni succulence en cours de cuisson.*

Pour 6 personnes

INGRÉDIENTS

1 poulet de 2 kg / 4 lb
2 pommes à couteau
15 g / ¹⁄₂ once / 1 cuil. à soupe de
  beurre
1 cuil. à soupe de gelée de groseille
jardinière de légumes, pour
  accompagner

FARCE :
15 g / ¹⁄₂ once / 1 cuil. à soupe de
  beurre
1 petit oignon, finement haché
60 g / 2 onces de champignons,
  finement hachés
60 g / 2 onces de jambon fumé, coupé
  en tout petits morceaux

25 g / 1 once / ¹⁄₂ tasse de miettes de
  pain fraîches
1 cuil. à soupe de persil frais, haché
1 pomme croquante
1 cuil. à soupe de jus de citron
huile, pour badigeonner
sel, poivre

1 Pour faire la farce, faites fondre le beurre et faites doucement revenir les oignons, en remuant jusqu'à ce qu'ils soient transparents mais pas dorés. Ajoutez les champignons et faites cuire 2 à 3 minutes. Retirez du feu et ajoutez le jambon, les miettes de pain et le persil haché

2 Évidez la pomme mais laissez la peau et râpez-la grossièrement. Ajoutez le jus de citron et la farce à la pomme râpée. Assaisonnez à volonté.

3 Décollez la peau des blancs du poulet et glissez délicatement des cuillerées de farce entre chair et peau en régularisant l'épaisseur avec la main.

4 Mettez le poulet dans un plat à rôtir et badigeonnez d'un peu d'huile.

5 Faites rôtir le poulet à four préchauffé à 190°C / 375°F / th 5, 25 minutes par 500 g / 1 lb plus 25 minutes, jusqu'à ce qu'il n'y ait pas de

trace rosée dans le jus quand on perce la partie la plus épaisse du poulet avec une petite broche. Si les blancs commencent à trop roussir, couvrez le poulet de papier d'aluminium.

6 Évidez les pommes restantes et coupez-les en tranches, faites-les dorer dans le beurre. Incorporez la gelée de groseille et faites-la fondre sur le feu. Garnissez le poulet avec les tranches de pommes et servez avec la jardinière de légumes.

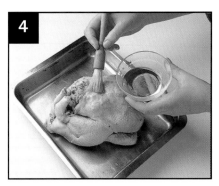

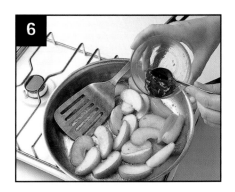

Poulet Rôti à la Coriandre & à l'Ail

Ici, le poulet est nappé d'une marinade aux saveurs fraîches puis rôti.
Servez avec du riz, du yaourt et une salade, au choix

Pour 4 à 6 personnes

INGRÉDIENTS

3 brins de coriandre fraîche, hachée
4 gousses d'ail
1/2 cuil. à café de sel
1 cuil. à café de poivre

4 cuil. à soupe de jus de citron
4 cuil. à soupe d'huile d'olive
1 gros poulet
poivre

brin de persil frais, pour décorer
carottes et pommes de terre à
l'anglaise, pour accompagner

1 Pilez la coriandre hachée, l'ail, le sel, le poivre, le jus de citron et l'huile d'olive dans un pilon ou bien passez-les au mixeur. Laissez 4 heures au réfrigérateur pour que les parfums puissent se développer.

2 Mettez le poulet dans un plat à rôtir. Enrobez-le généreusement du mélange de coriandre et d'ail.

3 Saupoudrez de poivre et faites rôtir 1 h 1/2 en bas d'un four préchauffé à 190°C / 375°F / th 5 en arrosant toutes les 20 minutes du

mélange à la coriandre. Si le poulet commence à roussir, couvrez-le de papier d'aluminium. Garnissez de persil frais et servez accompagné de pommes de terre et de carottes.

MON CONSEIL

Pour écraser de petites quantités, il vaut mieux utiliser un pilon de manière à ce qu'un minimum d'ingrédients reste dans le récipient.

VARIANTE

N'importe quelle herbe fraîche peut être utilisée dans cette recette à la place de la coriandre. L'estragon ou le thym se marient bien avec le poulet.

Poulet à la Feta & aux Herbes de Montagne

La plupart des herbes aromatiques s'accordent bien avec le poulet, surtout en été quand elles sont au meilleur de leur goût. Ce mélange s'associe bien à la saveur légèrement acide de la feta et à celle des tomates mûries au soleil.

Pour 4 personnes

INGRÉDIENTS

8 cuisses de poulet, sans peau ni os
2 cuil. à soupe de thym, 2 de romarin
  et 2 de marjolaine, frais et hachés
125 g / 4$^{1}/_{2}$ onces de feta
1 cuil. à soupe de lait
2 cuil. à soupe de farine
sel, poivre

thym, romarin et marjolaine, en
  garniture

SAUCE TOMATE :
1 oignon moyen, grossièrement haché
1 gousse d'ail, écrasée
1 cuil. à soupe d'huile d'olive

4 tomates olivettes, coupées en
  quartiers
1 brin de romarin, 1 de thym et 1 de
  marjolaine

1 Étalez les cuisses de poulet sur une planche, côté lisse dessous.

2 Partagez les herbes entre les morceaux de poulet. Coupez le fromage en 8 bâtonnets et mettez un bâtonnet au milieu de chaque cuisse. Assaisonnez bien et roulez pour renfermer le fromage.

3 Mettez ces rouleaux dans une cocotte allant au four, badigeonnez de lait et saupoudrez de farine sur toute leur surface.

4 Faites cuire 25 à 30 minutes à four préchauffé à 190°C / 375°F / th 5, ou jusqu'à de ce qu'ils soient bien dorés. Le jus doit sortir clair, pas rosé, quand on perce la partie la plus épaisse du poulet avec une petite broche.

5 Pour faire la sauce, faites revenir l'oignon et l'ail dans l'huile d'olive en remuant jusqu'à ce qu'ils soient transparents et commencent juste à dorer.

6 Ajoutez les tomates, baissez le feu, couvrez et laissez mijoter 15 à 20

minutes jusqu'à ce qu'elles aient perdu leur fermeté.

7 Ajoutez les herbes, transférez dans un mixeur et réduisez en purée. Passez au chinois pour obtenir une sauce lisse et onctueuse. Assaisonnez à volonté et servez la sauce avec le poulet, garnissez avec les herbes aromatiques.

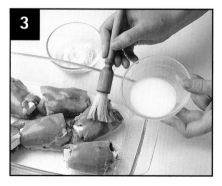

Poussin aux Fruits Secs

Les poussins sont parfaits pour un repas pour une ou deux personnes. Leur cuisson est facile et rapide pour un dîner qui sort de l'ordinaire. Si vous cuisinez pour une personne, le micro-ondes rend leur préparation encore plus rapide et pratique.

Pour 2 personnes

INGRÉDIENTS

125 g / 4^1/$_2$ onces / ^{3}/$_4$ de tasse de pommes, pêches et pruneaux secs
120 ml / 4 oz liquides / ^{1}/$_2$ tasse d'eau bouillante
2 poussins

25 g / 1 once / ^{1}/$_3$ de tasse de cerneaux de noix
1 cuil. à soupe de miel
1 cuil. à café de piment de la Jamaïque en poudre

1 cuil. à soupe d'huile de noix
sel, poivre
légumes frais et pommes de terre nouvelles, pour accompagner

1 Mettez les fruits secs dans un saladier, recouvrez d'eau bouillante et laissez tremper environ 30 minutes.

2 Coupez les poussins en deux le long du bréchet à l'aide d'un couteau bien aiguisé ou bien laissez-les entiers, au choix.

3 Mélangez les fruits et le jus qui reste dans le saladier aux cerneaux de noix, miel et piment de la Jamaïque. Partagez le mélange en deux et versez chaque moitié dans un sac cuisson ou sur des carrés de papier d'aluminium.

4 Badigeonnez les poussins d'huile de noix, saupoudrez de sel et de poivre et placez-les sur les fruits.

5 Fermez les sacs cuisson ou pliez le papier d'aluminium de manière à envelopper les poussins. Faites cuire sur une plaque à four 25 à 30 minutes dans un four préchauffé à 190°C / 375°F / th 5, jusqu'à ce que le jus soit clair, pas rosé, quand on perce la partie la plus épaisse des poussins avec une petite broche. Pour cuire au micro-ondes, utilisez des sacs cuisson pour micro-ondes et faites cuire chaque volaille sur Maxi (100%) 6 à 7 minutes selon la grosseur.

6 Servez bien chaud avec des légumes frais et des pommes de terre nouvelles.

MON CONSEIL

Parmi les autres fruits secs qui peuvent être utilisés dans cette recette, citons les cerises, les mangues ou les papayes par exemple.

Poulet Farci à la Confiture d'Orange

Les amoureux de la confiture d'orange adoreront ce plat de fête qui peut aussi bien se faire
avec de la confiture de citron ou de pamplemousse

Pour 6 personnes

INGRÉDIENTS

1 poulet d'environ 2,25 kg / 5 lb
feuilles de laurier

FARCE :
1 branche de céleri, finement hachée
1 petit oignon, finement haché

1 cuil. à soupe d'huile de tournesol
125 g / 4^{1}/$_{2}$ onces / 2 tasses de miettes
   de pain complet fraîches
4 cuil. à soupe de confiture d'orange
2 cuil. à soupe de persil frais, haché
1 œuf, battu
sel, poivre

SAUCE :
2 cuil. à café de Maïzena
2 cuil. à soupe de jus d'orange
3 cuil. à soupe de confiture d'orange
150 ml / ^{1}/$_{4}$ de pinte / ^{2}/$_{3}$ de tasse de
   bouillon de poule
1 orange moyenne
2 cuil. à soupe de cognac

1 Relevez la peau du cou du poulet et enlevez le bréchet à l'aide d'un petit couteau pointu. Mettez quelques feuilles de laurier à l'intérieur du poulet.

2 Pour la farce, faites revenir le céleri et l'oignon dans l'huile. Ajoutez les miettes de pain, 3 cuil. à soupe de confiture, le persil et l'œuf. Assaisonnez et farcissez par le cou. S'il reste de la farce, elle peut se faire cuire séparément.

3 Mettez le poulet dans un plat à rôtir et badigeonnez d'un peu d'huile. Faites rôtir à four préchauffé à 190°C / 375°F / th 5, 20 minutes par 500 g / 1 lb 2 onces, plus 20 minutes, jusqu'à ce que le jus sorte clair quand on perce la partie la plus épaisse du poulet avec une petite broche. Retirez du four et glacez avec le reste de confiture.

4 Pendant ce temps, faites la sauce. Dans une casserole, délayez la Maïzena avec le jus d'orange puis

ajoutez la confiture et le bouillon de poule. Faites chauffer doucement en remuant jusqu'à ce que la sauce soit liée et sans grumeaux. Retirez du feu. Séparez les quartiers d'orange, enlevez la peau blanche et les membranes. Juste avant de servir, ajoutez les quartiers d'orange et le cognac à la sauce, portez à ébullition.

5 Servez le poulet avec la sauce à l'orange, la farce (s'il en reste) et des pommes de terre nouvelles.

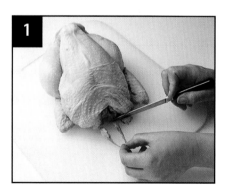

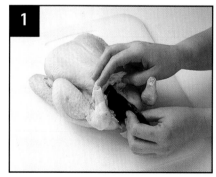

Poulet Doré aux Mangues & aux Airelles

Le poulet en partie désossé qui entre dans la composition de cette recette est facile à couper en tranches et à servir mais si vous préférez, farcissez-le comme à l'habitude par le cou et faites cuire le reste de la farce séparément.

Pour 6 personnes

INGRÉDIENTS

1 poulet d'environ 2,25 kg / 5 lb
6 tranches de lard de poitrine fumé

FARCE :
60 g / 2 onces / ¼ de tasse d'airelles
  fraîches ou surgelées

1 mangue mûre, coupée en dés
125 g / 4½ onces / 2 tasses de miettes
  de pain
½ cuil. à café de macis en poudre
1 œuf, battu
sel, poivre

GLAÇAGE :
½ cuil. à café de safran des Indes en
  poudre
2 cuil. à café de miel
2 cuil. à café d'huile de tournesol

1 Pour désosser partiellement le poulet, déboîtez les cuisses et mettez le poulet dos dessus, sur une planche. Coupez la peau le long de la colonne vertébrale et raclez la chair qui se trouve sur les os des deux côtés.

2 Quand vous avez atteint l'endroit où les cuisses et les ailes sont reliées à la carcasse, coupez à travers les jointures. Travaillez autour de la cage thoracique jusqu'à ce que la carcasse puisse se détacher.

3 Faites 6 rouleaux de lard de poitrine. Pour la farce, mélangez la mangue, les airelles, les miettes de pain et le macis, liez à l'œuf et assaisonnez.

4 Posez le poulet côté peau dessous et mettez la moitié de la farce à l'intérieur. Disposez les rouleaux de lard de poitrine au centre et étalez le reste de la farce dessus. Repliez la peau et ficelez. Retournez le poulet, attachez les pattes et repliez les ailes en dessous. Mettez dans un plat à rôtir. Pour faire le glaçage, mélangez le safran des Indes, le miel et l'huile et badigeonnez-en la peau.

5 Faites rôtir 1 h ½ à 2 h dans un four préchauffé à 190°C / 375°F / th 5, jusqu'à ce que le jus sorte clair, pas rosé, quand on perce le poulet avec une petite broche. Quand le poulet commence à bien dorer, couvrez-le, sans serrer, de papier d'aluminium pour l'empêcher de trop roussir. Servez le poulet bien chaud avec des légumes de saison.

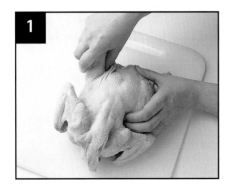

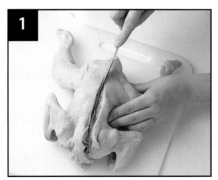

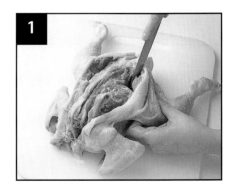

Blancs de Poulet & Lard de Poitrine au Four sur Croûtons

Un petit bout d'os de l'aile reste rattaché aux suprêmes de poulet ce qui les rend faciles à prendre et à manger. Dans cette recette, une sauce aux fruits acidulée agrémente parfaitement le poulet et les croûtons.

Serves 8

INGRÉDIENTS

60 g / 2 onces / 4 cuil. à soupe de beurre
jus d'un citron
250 g / 9 onces / 1 tasse de groseilles ou d'airelles
1 ou 2 cuil. à soupe de sucre roux

8 blancs ou suprêmes de poulet
16 tranches de lard de poitrine
60 g / 2 onces / 4 cuil. à soupe de graisse de rôti de bœuf

thym
4 tranches de pain, coupées en triangles
sel, poivre

1 Faites chauffer le beurre dans une casserole, ajoutez le jus de citron, les groseilles ou airelles, le sucre roux, et du sel et du poivre à volonté. Faites cuire une minute et laissez refroidir.

2 Pendant ce temps, salez et poivrez le poulet. Enroulez 2 tranches de lard de poitrine autour de chaque blanc et saupoudrez de thym.

3 Enveloppez chaque blanc dans un morceau de papier d'aluminium légèrement graissé et placez-les dans un

plat à rôtir. Faites rôtir 15 minutes dans un four préchauffé à 200°C / 400°F / th 6. Enlevez le papier d'aluminium et prolongez la cuisson de 10 minutes.

4 Faites chauffer la graisse de bœuf dans une poêle et faites frire les triangles de pain des deux côtés jusqu'à ce qu'ils soient bien dorés.

5 Disposez les croûtons dans un grand plat de service et mettez un blanc de poulet sur chacun. Servez avec une cuillerée de sauce aux fruits.

MON CONSEIL

Pour cette recette, vous pouvez utiliser soit du thym frais haché soit du thym déshydraté, mais n'oubliez pas que l'arôme des herbes déshydratées est plus prononcé et que par conséquent vous devez réduire la quantité de moitié par rapport aux herbes fraîches.

Poulet Catalan

La Catalogne, province espagnole, est célèbre pour ses merveilleux mélanges de viandes et de fruits. Dans cette recette, les pêches apportent une touche de douceur tandis que les pignons de pin, la cannelle et le sherry ajoutent un petit quelque chose d'inhabituel.

Pour 6 personnes

INGRÉDIENTS

60 g / 2 onces / 1 tasse de miettes de pain complet fraîches
60 g / 2 onces / ½ tasse de pignons de pin
1 petit œuf, battu

4 cuil. à soupe de thym frais haché ou 1 cuil. à soupe de thym déshydraté
4 pêches fraîches ou 8 moitiés de pêches en conserve
1 poulet d'environ 2,5 kg / 5½ lb

1 cuil. à café de cannelle en poudre
200 ml / 7 oz liquides / ¾ de tasse de sherry Amontillado
4 cuil. à soupe de crème fraîche entière
sel, poivre

1 Mélangez les miettes de pain avec 25 g / 1 once / ¼ de tasse de pignons de pin, l'œuf et le thym.

2 Coupez les pêches en deux et dénoyautez-les, enlevez la peau si nécessaire. Coupez une pêche en petits dés et mélangez aux miettes de pain. Assaisonnez bien. Mettez des cuillerées de farce à l'intérieur du poulet par le cou. Repliez bien la peau par-dessus.

3 Mettez le poulet dans un plat à rôtir, saupoudrez la peau de cannelle.

4 Couvrez le poulet de papier d'aluminium, sans trop serrer, et faites rôtir 1 heure dans un four préchauffé à 190°C / 375°F / th 5 en arrosant de jus de temps à autre.

5 Enlevez le papier d'aluminium et arrosez le poulet de sherry. Prolongez la cuisson de 30 minutes en arrosant de sherry, jusqu'à ce que le jus sorte clair quand on perce la partie la plus épaisse du poulet avec une petite broche.

6 Mettez le reste des moitiés de pêches dans un plat allant au four,

parsemez le reste des pignons de pin dessus et mettez au four pour les 10 dernières minutes de cuisson

7 Transférez le poulet dans un plat de service, disposez les moitiés de pêches autour. Dégraissez le jus, ajoutez la crème fraîche et faites chauffer doucement. Servez avec le poulet.

MON CONSEIL

Des oreillons d'abricots en conserve dans leur jus sont une solution de remplacement que vous pouvez facilement avoir en réserve.

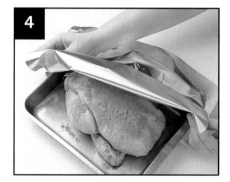

Suprêmes de Poulet aux Cerises Noires

Cette recette est assez longue à préparer, mais cela en vaut la peine.
Les cerises et le poulet allient très bien leurs arômes.

Pour 6 personnes

INGRÉDIENTS

6 gros suprêmes de poulet
6 grains de poivre noir, concassés
300 g / 10¹/₂ onces / 2 tasses de cerises
    noires dénoyautées, ou des cerises
    dénoyautées en conserve
12 échalotes, émincées

4 tranches de lard de poitrine,
    découenné et coupé en petits
    morceaux
8 baies de genièvre
4 cuil. à soupe de porto
150 ml / ¹/₄ de pinte / ²/₃ de tasse de
    vin rouge

25 g / 1 once / 2 cuil. à soupe de beurre
2 cuil. à soupe d'huile de noix
25 g / 1 once / ¹/₄ de tasse de farine
sel, poivre
pommes de terre nouvelles et haricots
    verts, pour accompagner

1 Mettez le poulet dans un plat allant au four. Ajoutez les grains de poivre, les cerises fraîches, ou en conserve avec leur jus, et les échalotes.

2 Ajoutez le lard de poitrine, les baies de genièvre, le porto et le vin rouge. Assaisonnez bien.

3 Mettez le poulet au réfrigérateur et laissez mariner 48 heures.

4 Faites chauffer le beurre et l'huile de noix dans une grande poêle.

Sortez le poulet de la marinade et faites-le sauter dans la poêle à feu vif, 4 minutes de chaque côté.

5 Remettez le poulet dans la marinade mais laissez le beurre, l'huile et le jus dans la poêle.

6 Couvrez le plat de papier d'aluminium et faites cuire 20 minutes à four préchauffé à 180°C / 350°F / th 4. Transférez le poulet dans un grand plat creux chaud. Ajoutez la farine aux jus de la poêle et faites cuire

4 minutes. Mouillez avec la marinade, portez à ébullition et laissez frémir 10 minutes pour que la sauce soit de consistance lisse.

7 Versez la sauce aux cerises sur les suprêmes de poulet et servez avec des pommes de terre nouvelles et des haricots verts.

Poulet Rôti au Whisky

Un poulet rôti qui change de l'ordinaire, avec une saveur toute écossaise réconfortante et une délicieuse farce à l'avoine.

Pour 6 personnes

INGRÉDIENTS

1 poulet de 2 kg / 4 lb 8 onces
huile, pour badigeonner
1 cuil. à soupe de miel de bruyère
2 cuil. à soupe de whisky écossais
2 cuil. à soupe de farine
300 ml / ½ pinte / 1¼ tasse de
    bouillon de poule

FARCE :
1 oignon moyen, finement haché
1 branche de céleri, émincée
1 cuil. à soupe de beurre ou d'huile de
    tournesol
1 cuil. à café de thym déshydraté

4 cuil. à soupe de flocons d'avoine
4 cuil. à soupe de bouillon de poule
sel, poivre
un légume vert et des pommes de terre
    sautées, pour accompagner

1 Pour faire la farce, faites revenir l'oignon et le céleri dans le beurre ou l'huile à feu moyen sans cesser de remuer, jusqu'à ce qu'ils soient légèrement roussis.

2 Retirez du feu, ajoutez le thym, les flocons d'avoine, le bouillon, le sel et le poivre.

3 Farcissez le poulet par le cou et rentrez la peau du cou à l'intérieur. Mettez dans un plat à rôtir, badigeonnez d'un peu d'huile et faites rôtir environ 1 heure à four préchauffé à 190°C / 375°F / th 5.

4 Délayez le miel de bruyère dans une cuillerée à soupe de whisky et badigeonnez le poulet de ce mélange. Remettez au four et prolongez la cuisson de 20 minutes ou jusqu'à ce que le poulet soit bien doré et que le jus sorte clair quand on perce la partie la plus épaisse du poulet avec une petite broche.

5 Transférez le poulet dans le plat de service. Dégraissez le jus de cuisson et ajoutez la farine. Remuez sur feu modéré jusqu'au premier bouillon puis mouillez petit à petit avec le bouillon de poule et le reste de whisky.

6 Remuez jusqu'à ébullition puis laissez frémir 1 minute. Servez le poulet avec la sauce, un légume vert et des pommes de terre sautées.

Poulet Rôti à la Sauce aux Champignons Sauvages

Ce plat de poulet inhabituel a le goût du poulet rôti mais on termine sa cuisson en cocotte avec une sauce aux champignons sauvages.

Pour 4 personnes

INGRÉDIENTS

90 g / 3 onces / ⅓ de tasse de beurre, ramolli
1 gousse d'ail, écrasée
1 gros poulet
175 g / 6 onces / 2¼ tasses de champignons sauvages

12 échalotes
25 g / 1 once / 2 cuil. à soupe de farine
150 ml / ¼ de pinte / ⅔ de tasse de cognac
300 ml / ½ pinte / 1¼ tasse de crème fraîche entière

sel, poivre
1 cuil. à soupe de persil frais haché, en garniture
riz sauvage ou pommes de terre rôties au four et haricots verts, pour accompagner

1 Mélangez bien le beurre, l'ail, le sel et le poivre dans un saladier.

2 Frottez l'intérieur et l'extérieur du poulet avec ce mélange et laissez reposer 2 heures.

3 Mettez le poulet dans un grand plat à rôtir et faites cuire 1 h ½ au milieu d'un four préchauffé à 230°C / 450°F / th 8 en arrosant de beurre d'ail environ toutes les 10 minutes.

4 Retirez le poulet du plat et laissez-le légèrement refroidir.

5 Versez le jus de cuisson du poulet dans une casserole et faites-y revenir les champignons et les échalotes pendant 5 minutes. Saupoudrez de farine, ajoutez le cognac chaud et faites flamber avec une longue allumette.

6 Ajoutez la crème fraîche, faites cuire à tout petit feu 3 minutes sans cesser de remuer.

7 Retirez les os, découpez le poulet en morceaux de la taille d'une bouchée et déposez-les dans une cocotte. Recouvrez de la sauce aux champignons et faites cuire au four encore 12 minutes après avoir réduit la température à 160°C / 325°F / th 3. Décorez de persil et servez avec du riz sauvage ou des pommes de terre rôties au four et des haricots verts.

Poulet aux Agrumes et au Miel

Cette recette sans matières grasses est excellente quand vous recevez en été, elle peut être simplement accompagnée d'une salade verte et de pommes de terre nouvelles. Si vous coupez le poulet en deux et l'aplatissez, vous pouvez le faire rôtir en moins d'une heure.

Pour 4 personnes

INGRÉDIENTS

1 poulet de 2 kg / 4 lb 8 onces
sel, poivre
brins d'estragon, en garniture

MARINADE :
300 ml / ½ pinte / 1¼ tasse de jus
   d'orange
3 cuil. à soupe de vinaigre de cidre

3 cuil. à soupe de miel liquide
2 cuil. à soupe d'estragon frais, haché
2 oranges, en quartiers

SAUCE :
une poignée de brins d'estragon, hachés
200 g / 7 onces / 1 tasse de fromage
   blanc allégé

2 cuil. à soupe de jus d'orange
1 cuil. à café de miel liquide
60 g / 2 onces / ½ tasse d'olives
   fourrées, hachées

1 Mettez le poulet sur une planche à découper, blancs dessous. Coupez la carcasse par le milieu, en commençant par le croupion, avec un sécateur ou de gros ciseaux de cuisine et en faisant attention à ne pas couper le bréchet en dessous.

2 Passez le poulet à l'eau froide, égouttez-le et mettez-le sur une planche, côté peau dessus. Aplatissez le poulet et coupez le bout des pattes.

3 Enfilez deux longues brochettes en bois à travers le poulet pour qu'il reste à plat. Assaisonnez la peau.

4 Mettez tous les ingrédients de la marinade, sauf les quartiers d'orange, dans un plat creux non métallique, mélangez puis ajoutez-y le poulet. Couvrez et mettez 4 heures au réfrigérateur, en retournant le poulet plusieurs fois.

5 Pour faire la sauce, mélangez tous les ingrédients et assaisonnez. Versez dans le plat de service, couvrez et mettez au réfrigérateur.

6 Transférez le poulet et la marinade dans un plat à rôtir, ouvrez le poulet et posez le côté peau en dessous.

Glissez les quartiers d'orange autour du poulet et faites rôtir 25 minutes à four préchauffé à 200°C / 400°F / th 6. Retournez le poulet et prolongez la cuisson de 20 à 30 minutes. Arrosez de jus de cuisson jusqu'à ce que le poulet soit bien doré et que le jus sorte clair quand on perce le poulet avec une petite broche. Garnissez d'estragon et servez avec la sauce.

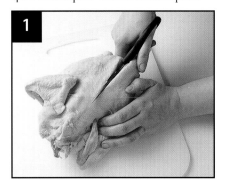

Blancs de Poulet au Jambon d'York et au Stilton

Les betteraves sont un des légumes les plus sous-estimés et pourtant elles ajoutent saveur et couleur à de nombreux plats. De jeunes betteraves tendres entrent dans la composition de cette recette.

Pour 4 personnes

INGRÉDIENTS

4 suprêmes de poulet
8 feuilles de sauge fraîches
8 tranches fines de jambon d'York
250 g / 9 onces / 2 tasses de stilton, ou autre fromage bleu, coupé en 8 tranches

8 tranches de lard de poitrine, découenné
150 ml / 1¼ pinte / ⅔ de tasse de bouillon de poule
2 cuil. à soupe de porto
24 échalotes

500 g / 1 lb 2 onces de jeunes betteraves, cuites
1 cuil. à soupe de Maïzena délayée dans un peu de porto
sel, poivre

1 Faites une longue entaille sur le côté de chaque blanc de poulet de manière à former une poche.

2 Mettez 2 feuilles de sauge dans chaque poche et assaisonnez légèrement.

3 Enroulez chaque tranche de jambon autour d'une tranche de fromage et placez 2 rouleaux dans chaque poche de poulet. Enroulez soigneusement assez de lard de poitrine autour de chaque blanc pour recouvrir les poches contenant le fromage et le jambon.

4 Mettez les blancs dans un plat allant au four et arrosez de porto et de bouillon.

5 Ajoutez les échalotes, couvrez avec un couvercle ou du papier d'aluminium et faites braiser environ 40 minutes à four préchauffé à 190°C / 375°F / th 5.

6 Posez délicatement les blancs sur une planche à découper et coupez-les en éventail. Dressez-les dans un plat creux chaud avec les échalotes et les betteraves.

7 Mettez le jus de cuisson dans une casserole et portez à ébullition. Retirez du feu et ajoutez la Maïzena délayée. Laissez frémir la sauce 2 minutes puis versez-la sur les échalotes et les betteraves.

VARIANTE

Vous pouvez, au choix, utiliser un fromage bleu autre que le stilton. Essayez du gorgonzola ou du roquefort.

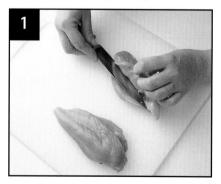

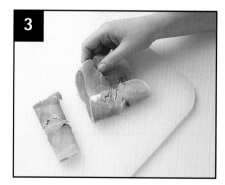

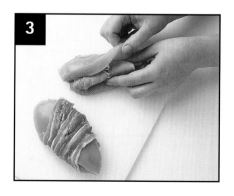

Poulet rôti Printanier

Les poussins sont simples à préparer, prennent environ 30 minutes à rôtir et on peut facilement les couper en deux d'un bout à l'autre avec un couteau bien aiguisé. Un poussin constitue une bonne part pour une personne.

Pour 4 personnes

INGRÉDIENTS

5 cuil. à soupe de miettes de pain complet fraîches

200 g / 7 onces / $^1/_2$ tasse de fromage blanc ou crème fraîche allégée

5 cuil. à soupe de persil frais, haché

5 cuil. à soupe de ciboulette fraîche, ciselée

4 poussins

1 cuil. à soupe d'huile de tournesol

675 g / 1$^1/_2$ lb de jeunes légumes de printemps : carottes, courgettes, mange-tout, maïs et navets par exemple, coupés en petits morceaux

120 ml / 4 oz liquides / $^1/_2$ tasse de bouillon de poule bouillant

2 cuil. à café de Maïzena

150 ml / $^1/_4$ de pinte / $^2/_3$ de tasse de vin blanc sec

sel, poivre

1 Dans un saladier, mélangez les miettes de pain, un tiers du fromage blanc ou de la crème fraîche allégée, 2 cuil. à soupe de persil et 2 de ciboulette. Salez et poivrez bien et farcissez les poussins par le cou. Mettez-les sur une grille dans un plat à rôtir, badigeonnez d'huile et assaisonnez bien.

2 Faites rôtir 30 à 35 minutes à four préchauffé à 220°C / 425°F / th 7, jusqu'à ce que le jus sorte clair, pas rosé quand on pique les poussins avec une petite broche.

3 Mettez les légumes en une seule couche au fond d'un plat creux allant au four, ajoutez la moitié du reste des herbes et le bouillon de poule. Couvrez et faites cuire au four de 25 à 30 minutes jusqu'à ce que les légumes soient tendres. Égouttez-les, réservez le jus de cuisson et maintenez au chaud.

4 Transférez les poussins dans un plat de service, dégraissez le jus du plat à rôtir et ajoutez le jus de cuisson des légumes.

5 Délayez la Maïzena avec le vin et fouettez-la dans la sauce avec le reste du fromage blanc ou de la crème fraîche. Portez à ébullition sans cesser de fouetter puis ajoutez le reste des herbes. Assaisonnez à volonté. Nappez les poussins de sauce et servez avec les légumes.

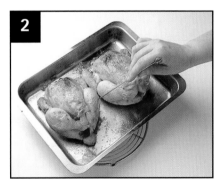

Ballottine au Parmesan

Il est vraiment très facile de désosser un poulet entier, mais si vous préférez
vous pouvez demander à un volailler complaisant de le faire pour vous.

Pour 6 personnes

INGRÉDIENTS

1 poulet d'environ 2,25 kg / 5 lb
8 tranches de mortadelle ou de salami
125 g / 4¹/₂ onces / 2 tasses de miettes
  fraîches de pain blanc ou complet

125 g / 4¹/₂ onces / 1 tasse de
  parmesan fraîchement râpé
2 gousses d'ail, écrasées
6 cuil. à soupe de persil ou de basilic
  frais, haché

1 œuf, battu
poivre
légumes frais de printemps, pour
  accompagner

1 Désossez le poulet sans abîmer la peau. Déboîtez chaque patte en la cassant à la jointure de la cuisse, coupez de chaque côté de la colonne vertébrale en prenant soin de ne pas percer la peau sur les blancs.

2 Retirez la colonne vertébrale de la chair et jetez-la. Enlevez les côtes en détachant la chair avec un couteau bien aiguisé.

3 Raclez la chair de chaque cuisse et coupez l'os à la jointure avec un sécateur ou un couteau.

4 Utilisez les os pour faire du bouillon. Posez le poulet désossé sur une planche, côté peau en dessous. Disposez les tranches de mortadelle sur le poulet en les faisant se chevaucher légèrement.

5 Dans un saladier, mettez les miettes de pain, le parmesan, l'ail et le basilic ou le persil, poivrez bien et mélangez. Liez le mélange avec l'œuf battu. Entassez cette farce au milieu du poulet désossé, roulez la viande autour et ficelez bien.

6 Mettez le poulet dans un plat à rôtir, badigeonnez d'un peu d'huile d'olive et faites rôtir 1 h ½ à four préchauffé à 200°C / 400°F / th 6, jusqu'à ce que le jus sorte clair quand on perce le poulet.

7 Servez chaud ou froid, en tranches, avec des légumes frais de printemps.

VARIANTE

Remplacez, si vous préférez, la mortadelle
par des tranches de lard de poitrine.

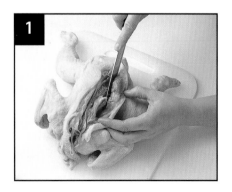

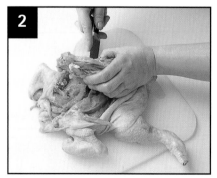

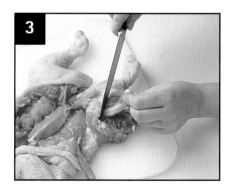

Poulet Farci à la Crème de Courgette & de Citron Vert

*Une farce au fromage est glissée sous la peau du blanc de poulet
pour donner davantage de goût et de moelleux à la viande.*

Pour 6 personnes

INGRÉDIENTS

1 poulet de 2,25 kg / 5 lb
huile pour badigeonner
250 g / 9 onces / 1¹/₃ tasse de courgettes
25 g / 1 once / 2 cuil. à soupe de beurre
jus d'un citron vert

FARCE :
90 g / 3 onces / ¹/₂ tasse de courgettes
90 g / 3 onces / ³/₄ de tasse de fromage
  frais demi-écrémé
zeste d'un citron vert finement râpé

2 cuil. à soupe de miettes de pain
  fraîches
sel, poivre

1 Pour la farce, préparez et râpez grossièrement la courgette, mélangez avec le fromage, le zeste de citron vert, les miettes de pain, le sel et le poivre.

2 Détachez soigneusement la peau des blancs du poulet.

3 Enfoncez la farce sous la peau avec vos doigts de manière à recouvrir les blancs régulièrement.

4 Mettez le poulet dans un plat à four, badigeonnez d'huile et faites rôtir dans un four préchauffé à 190°C / 375°F / th 5, 20 minutes par 500g / 1 lb 2 onces plus 20 minutes, ou jusqu'à ce que le jus sorte clair quand on perce la partie la plus épaisse du poulet avec une petite broche.

5 Pendant ce temps, préparez le reste des courgettes et coupez-les en longues lanières avec un éplucheur à pommes de terre ou un couteau bien aiguisé. Faites-les sauter dans le beurre et le jus de citron vert juste pour les attendrir. Servez avec le poulet.

MON CONSEIL

Pour une cuisson plus rapide, râpez finement les courgettes plutôt que de les couper en lanières.

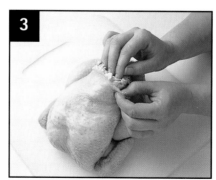

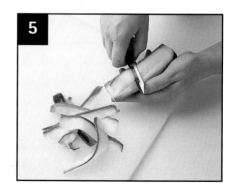

Poulet Rôti en Cocotte à l'Orange & au Sésame

Ce rôti en cocotte, nourrissant et coloré peut se servir aussi bien en famille que pour un dîner sortant de l'ordinaire.
Si vous avez beaucoup de bouches à nourrir, ajoutez davantage de légumes, si votre cocotte est assez grande !

Pour 4 personnes

INGRÉDIENTS

2 cuil. à soupe d'huile de tournesol	500 g / 1 lb 2 onces / 2 tasses de petites carottes entières ou de carottes minces coupées en morceaux de 5 cm / 2 pouces	2 cuil. à soupe de cognac
1 poulet d'environ 1,5 kg / 3 lb 5 onces		2 cuil. à soupe de graines de sésame
2 grosses oranges		1 cuil. à soupe de Maïzena
2 petits oignons, coupés en quatre	150 ml / ¼ de pinte / ⅔ de tasse de jus d'orange	sel, poivre

1 Faites chauffer l'huile dans une grande cocotte allant au feu et faites dorer le poulet de tous côtés en le retournant de temps à autre.

2 Coupez une orange en deux et mettez-en la moitié à l'intérieur du poulet. Mettez le poulet dans une grande cocotte haute. Placez les oignons et les carottes autour du poulet.

3 Assaisonnez bien et versez le jus d'orange dessus.

4 Coupez le reste des oranges en petits quartiers et glissez-les dans la cocotte autour du poulet, parmi les légumes.

5 Couvrez et faites cuire environ 1 h ½ à four préchauffé à 180°C / 350°F / th 4 ou jusqu'à ce que les légumes soient tendres et qu'il n'y ait pas de trace rosée dans le jus quand on perce le poulet. Retirez le couvercle, arrosez de cognac et parsemez de graines de sésame. Laissez au four encore 10 minutes.

6 Pour servir, transférez le poulet dans un grand plat, dressez les légumes autour, dégraissez le jus de cuisson. Délayez la Maïzena dans 1 cuil. à soupe d'eau froide, mélangez au jus de cuisson et portez à ébullition sans cesser de remuer. Ajustez l'assaisonnement à volonté et servez la sauce avec le poulet.

VARIANTE

Si vous voulez un goût d'agrumes plus acidulé, remplacez les oranges par des citrons et mettez un brin de thym avec le demi citron à l'intérieur du poulet car ces deux arômes vont bien ensemble.

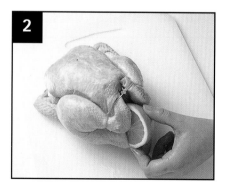

Poulet au Four au Miel & à la Moutarde

Des morceaux de poulet sont badigeonnés du classique mélange de miel et de moutarde
puis enrobés de graines de pavot croquantes.

Pour 4 à 6 personnes

INGRÉDIENTS

8 morceaux de poulet
60 g / 2 onces / 4 cuil. à soupe de
    beurre, fondu
4 cuil. à soupe de moutarde douce

4 cuil. à soupe de miel liquide
2 cuil. à soupe de jus de citron
1 cuil. à café de paprika
3 cuil. à soupe de graines de pavot

sel, poivre
salade de tomates et de maïs, pour
    accompagner

1 Disposez les morceaux de poulet, côté peau dessus, sur une grande plaque à four.

2 Mélangez bien tous les ingrédients, sauf les graines de pavot, dans un grand saladier.

3 Badigeonnez ce mélange sur les morceaux de poulet.

4 Faites cuire 15 minutes au milieu d'un four préchauffé à 200°C / 400°F / th 6.

5 Retournez délicatement les morceaux de poulet et badigeonnez le dessus avec le reste du mélange au miel et à la moutarde.

6 Saupoudrez le poulet de graines de pavot et remettez au four 15 minutes.

7 Dressez le poulet sur un plat de service. Arrosez du jus de cuisson et accompagnez, si vous voulez, d'une salade de tomates et de maïs.

MON CONSEIL

Le riz mexicain est un excellent accompagnement pour ce plat. Faites bouillir le riz 10 minutes, égouttez et faites-le frire 5 minutes. Ajoutez des oignons hachés, de l'ail, des tomates, des carottes et du piment rouge. Faites cuire 1 minute avant d'ajouter du bouillon. Portez à ébullition, couvrez et laissez frémir 20 minutes en rajoutant du bouillon si nécessaire. Ajoutez des petits pois 5 minutes avant la fin de la cuisson.

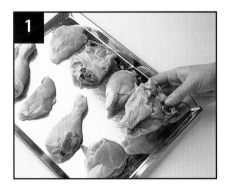

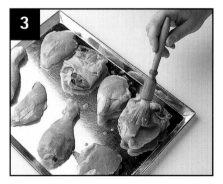

Rôti du Dimanche à la Méditerranéenne

Ce rôti conjugue toutes les saveurs de la Méditerranée. Un mélange de feta, de romarin et de tomates séchées au soleil est farci sous la peau du poulet qui est ensuite cuit au four avec de l'ail, des pommes de terre nouvelles et des légumes.

Pour 6 personnes

INGRÉDIENTS

1 poulet de 2,5 kg / 5 lb 8 onces
brins de romarin frais
175 g / 6 onces / ³/₄ de tasse de feta
grossièrement râpée
2 cuil. à soupe de concentré de
tomates séchées au soleil
60 g / 2 onces / 4 cuil. à soupe de
beurre, ramolli

1 tête d'ail
1 kg / 2 lb 4 onces de pommes de terre
nouvelles, coupées en deux si elles
sont grosses
1 poivron rouge, 1 jaune et 1 vert,
coupés en morceaux
3 courgettes, coupées en fines
rondelles

2 cuil. à soupe d'huile d'olive
2 cuil. à soupe de farine
600 ml / 1 pinte / 2¹/₂ tasses de
bouillon de poule
sel, poivre

1 Passez l'intérieur et l'extérieur du poulet sous l'eau froide et égouttez bien. Avec un petit couteau pointu, incisez délicatement la peau au dessus des blancs. Glissez le doigt dans cette fente et agrandissez pour former une poche. Continuez jusqu'à ce que la peau soit complètement décollée des blancs et des hauts-de-cuisses.

2 Hachez les feuilles de 3 brins de romarin. Mélangez-les à la feta, au concentré de tomate, au beurre et au poivre et insérez cette farce sous la peau avec une cuillère. Mettez le poulet dans

un grand plat à rôtir, couvrez de papier d'aluminium et faites cuire dans un four préchauffé à 190°C / 375°F / th 5, 20 minutes par 500 g / 1 lb 2 onces plus 20 minutes.

3 Divisez la tête d'ail en gousses, mais ne l'épluchez pas. Ajoutez les légumes au poulet après 40 minutes de cuisson.

4 Arrosez d'huile, glissez quelques brins de romarin et assaisonnez bien. Continuez la cuisson, enlevez le papier d'aluminium pour les 40

dernières minutes afin de faire dorer le poulet.

5 Transférez le poulet dans un plat de service. Disposez quelques légumes autour et mettez le reste dans un plat chaud. Dégraissez le jus de cuisson et ajoutez la farine. Faites cuire 2 minutes et mouillez petit à petit avec le bouillon. Portez à ébullition et remuez jusqu'à épaississement. Passez dans une saucière et servez avec le poulet.

Poulet Gratiné

Du fromage et de la moutarde, un enrobage simple et croustillant,
voilà un délicieux mélange pour ce plat diététique

Pour 4 personnes

INGRÉDIENTS

1 cuil. à soupe de lait
2 cuil. à soupe de moutarde anglaise

60 g / 2 onces / 1 tasse de cheddar, gruyère ou similaire un peu fort, râpé
3 cuil. à soupe de farine

2 cuil. à soupe de ciboulette fraîche, hachée
4 blancs de poulet, sans peau ni os

1 Mélangez le lait et la moutarde dans un saladier. Dans un autre saladier, mélangez le fromage, la farine et la ciboulette.

2 Trempez le poulet dans le mélange lait-moutarde, badigeonnez pour bien le recouvrir.

3 Passez le poulet dans le mélange au fromage, appuyez pour bien enrober les morceaux. Disposez sur une plaque à four et s'il reste du mélange au fromage, mettez-le dessus.

4 Faites cuire 30 à 35 minutes à four préchauffé à 200°C / 400°F / th 6, jusqu'à ce que le poulet soit doré et que le jus sorte clair, pas rosé, quand on le perce avec une petite broche. Servez très chaud, accompagné de pommes de terre en robe des champs et de légumes frais, ou bien froid avec une salade.

MON CONSEIL

Il existe plusieurs sortes de moutardes. Pour un goût plus piquant, essayez les moutardes françaises : la moutarde de Meaux est granuleuse et a une chaude saveur d'épices tandis que la moutarde de Dijon est plutôt forte et piquante.

MON CONSEIL

C'est une bonne idée de congeler les herbes aromatiques, elles conservent très bien leurs couleurs, leurs saveurs et leurs éléments nutritifs. La ciboulette se congèle particulièrement bien : conservez-la dans des sacs en plastique étiquetés, secouez-la pour l'égoutter avant l'emploi. La ciboulette déshydratée ne peut pas vraiment remplacer la ciboulette fraîche.

Poulet Potager

N'importe quel mélange de petits légumes nouveaux peut être rôti au four avec le poulet, des courgettes, poireaux ou oignons par exemple.

Pour 4 personnes

INGRÉDIENTS

250 g / 9 onces / 4 tasses de panais, épluchés et coupés en morceaux

125 g / 4^1/$_2$ onces / ^{3}/$_4$ de tasse de carottes, épluchées et coupées en morceaux

25 g / 1 once / ^{1}/$_2$ tasse de miettes fraîches de pain

^{1}/$_4$ de cuil. à café de noix de muscade râpée

1 cuil. à soupe de persil frais, haché

1 poulet de 1,5 kg / 3 lb 5 onces

un bouquet de persil

^{1}/$_2$ oignon

25 g / 1 once / 2 cuil. à soupe de beurre, ramolli

4 cuil. à soupe d'huile d'olive

500 g / 1 lb 2 onces de pommes de terre nouvelles, bien nettoyées

500 g / 1 lb 2 onces de petites carottes nouvelles, lavées et préparées

sel, poivre

persil frais haché, en garniture

1 Pour faire la farce, mettez les panais et les carottes dans une casserole, mettez de l'eau jusqu'à mi-hauteur et portez à ébullition. Couvrez et laissez cuire à feu doux jusqu'à ce que les légumes soient tendres. Égouttez bien et réduisez en purée au mixeur. Transférez dans un saladier et laissez refroidir.

2 Ajoutez les miettes de pain, la noix de muscade et le persil, salez et poivrez bien, mélangez.

3 Mettez la farce dans le poulet par le cou et poussez-la un peu sous la peau au dessus des blancs. Fermez la peau du cou avec une petite broche en métal ou un cure-dent.

4 Mettez le bouquet de persil et l'oignon à l'intérieur du poulet et placez-le dans un grand plat à rôtir.

5 Étalez le beurre sur la peau, salez et poivrez, couvrez de papier d'aluminium. Faites cuire 30 minutes à four préchauffé à 190°C / 375°F / th 5.

6 Pendant ce temps, faites chauffer l'huile dans une poêle et faites-y légèrement dorer les pommes de terre.

7 Mettez les pommes de terre dans le plat à rôtir et ajoutez les carottes. Arrosez le poulet et prolongez la cuisson d'1 heure en arrosant le poulet et les légumes au bout de 30 minutes. Retirez le papier d'aluminium pour les 20 dernières minutes de cuisson pour rendre la peau plus croustillante. Parsemez les légumes de persil haché et servez.

Barbecues & Grillades

Rien n'est plus délicieux que la chair juteuse et la peau
grillée du poulet cuit sur la braise après avoir mariné dans
un mélange parfumé d'huile, d'herbes et d'épices. Essayez
une marinade à l'orientale au yaourt et aux épices
aromatiques ou bien à la sauce de soja, à l'huile de sésame
et au gingembre frais. Certaines saveurs sont inhabituelles
et les goûts nouveaux. On trouvera ici des Brochettes de
Poulet à la Sauce aux Mûres et des Spirales de Poulet en
Brochettes qui sont d'appétissants rouleaux de poulet, lard
de poitrine et basilic. Les poussins sont relevés au citron
et à l'estragon, et s'accordent parfaitement à la cuisson
au gril ou au barbecue. On trouvera également une recette
de Poulet et Assortiment de Légumes Grillés composée de
blancs de poulet et de légumes grillés parmi lesquels des
courgettes, des aubergines et des poivrons rouges arrosés
d'huile d'olive et servis avec du pain croustillant pour
absorber le bon jus.

Poulet Cajun

Ces ailerons de poulet épicés sont excellents accompagnés de sauce salsa au piment rouge et de salade.
Si cela est trop épicé pour vous, vous pouvez essayer une sauce à la crème aigre et à la ciboulette.

Pour 4 personnes

INGRÉDIENTS

16 ailerons de poulet
4 cuil. à café de paprika
2 cuil. à café de coriandre en poudre
1 cuil. à café de sel de céleri

1 cuil. à café de cumin en poudre
1/2 cuil. à café de poivre de Cayenne
1/2 cuil. à café de sel
1 cuil. à soupe d'huile

2 cuil. à soupe de vinaigre de vin rouge
persil frais, en garniture
tomates cerises et feuilles de salades
diverses, pour accompagner

1 Lavez les ailerons de poulet et épongez-les dans du papier absorbant. Coupez le bout des ailes avec des ciseaux de cuisine.

2 Mélangez le paprika, la coriandre, le sel de céleri, le cumin, le poivre de Cayenne, le sel, l'huile et le vinaigre de vin rouge.

3 Frottez bien les ailerons avec ce mélange et mettez au réfrigérateur au moins une heure pour que les arômes pénètrent dans le poulet.

4 Faites cuire les ailerons 15 minutes sur un barbecue chauffé au préalable en badigeonnant d'huile de temps en temps et en les retournant souvent pour qu'ils soient cuits de part en part. Garnissez de persil frais et accompagnez de tomates cerises, de feuilles de salade diverses et d'une sauce de votre choix.

MON CONSEIL

Pour gagner du temps, vous pouvez acheter un mélange d'épices cajun prêt à l'emploi et en frotter les ailerons de poulet.

VARIANTE

Bien que les ailerons de poulet n'aient pas beaucoup de chair, ils sont petits et faciles à prendre à la main, donc parfaits pour les barbecues mais on les apprécie également frits ou rôtis.

Poulet Épicé au Sésame

*Voici une grillade rapide et facile, parfaite pour le déjeuner
ou pour manger au grand air lors d'un pique-nique.*

Pour 4 personnes

INGRÉDIENTS

4 quartiers de poulet
150 g / 5¹⁄₂ onces / ¹⁄₂ tasse de yaourt
nature

jus et zeste finement râpé d'un petit
citron
2 cuil. à café de pâte de curry demi-forte

1 cuil. à soupe de graines de sésame
quartiers de citron, en garniture

1 Enlevez la peau du poulet et faites des entailles à intervalles réguliers dans la chair avec un couteau bien aiguisé.

2 Dans un petit saladier, mélangez bien le yaourt nature, le zeste de citron, le jus de citron et la pâte de curry pour former une pommade.

3 Versez cette pommade à la cuillère sur les quartiers de poulet et disposez-les sur une plaque à four ou une lèchefrite tapissée de papier d'aluminium.

4 Mettez les quartiers de poulet sous un gril modérément chauffé au préalable et faites griller 12 à 15 minutes en retournant une fois. Faites griller jusqu'à ce que les morceaux soient dorés et cuits de part en part. Juste en fin de cuisson, saupoudrez le poulet de graines de sésame.

5 Servez avec une salade, des naans, et des quartiers de citron.

MON CONSEIL

Si vous avez le temps, mettez le poulet à mariner dans la sauce au réfrigérateur la veille, les saveurs seront ainsi complètement absorbées par le poulet.

VARIANTE

Des graines de pavot, de fenouil ou de cumin, ou un mélange des trois conviennent également pour saupoudrer sur le poulet.

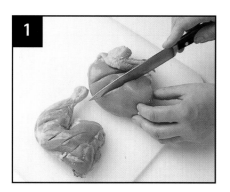

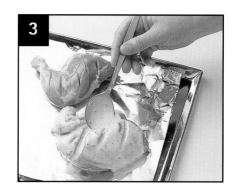

Poulet & Maïs au Gingembre

Les ailerons de poulet et le maïs dans une marinade collante au gingembre
sont faits pour se manger avec les doigts, impossible autrement !

Pour 6 personnes

INGRÉDIENTS

3 épis de maïs frais
12 ailerons de poulet

1 morceau de 2,5 cm / 1 pouce de
   gingembre frais
6 cuil. à soupe de jus de citron

4 cuil. à café d'huile de tournesol
1 cuil. à soupe de sucre roux en poudre

1 Retirez l'enveloppe et la barbe du maïs. Avec un couteau bien aiguisé, coupez chaque épi en 6 rondelles. Mettez-les avec les ailerons de poulet dans un grand saladier.

2 Épluchez et râpez le gingembre frais, ou hachez-le finement.

3 Mélangez le gingembre, le jus de citron, l'huile de tournesol et le sucre et remuez le maïs et le poulet dans ce mélange.

4 Enfilez le maïs et les ailerons de poulet sur des brochettes pour qu'il soit plus facile de les retourner.

5 Faites cuire les brochettes de 15 à 20 minutes sous un gril modérément chauffé au préalable ou au barbecue en arrosant avec le glaçage au gingembre et en les retournant fréquemment jusqu'à ce que le maïs soit tendre et bien doré et que le poulet soit cuit. Servez avec des pommes de terre en robe des champs ou une salade.

MON CONSEIL

Coupez le bout des ailerons avant de les mettre sous le gril car ils brûlent facilement, ou alors recouvrez-les de petits morceaux de papier d'aluminium.

MON CONSEIL

Quand vous achetez du maïs frais, choisissez les épis dont les grains sont gros et bien serrés. Si vous ne trouvez pas de maïs frais, employez du maïs surgelé décongelé à la place.

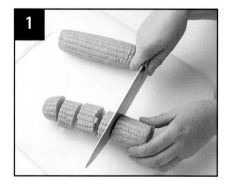

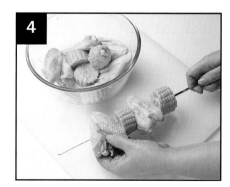

Poulet & Assortiment de Légumes Grillés

La grillade est une méthode de cuisson saine et rapide, parfaite pour conserver les sucs et les arômes du blanc de poulet et c'est une merveilleuse façon de faire cuire les légumes d'été.

Pour 4 personnes

INGRÉDIENTS

1 petite aubergine, en rondelles
2 gousses d'ail, écrasées
zeste d'$1/2$ citron, finement râpé
1 cuil. à soupe de menthe fraîche
6 cuil. à soupe d'huile d'olive
4 blancs de poulet, sans os

2 courgettes moyennes, en rondelles
1 poivron rouge moyen, coupé en quatre
1 petit bulbe de fenouil, coupé en grosses rondelles
1 gros oignon rouge, coupé en grosses rondelles

1 petit pain italien (ciabatta) ou
1 baguette, en tranches
un peu plus d'huile d'olive
sel, poivre

1 Mettez les rondelles d'aubergine dans une passoire et saupoudrez de sel. Laissez les dégorger 30 minutes au dessus d'un saladier, rincez et épongez. Cela élimine le jus amer.

2 Mélangez l'ail, le zeste de citron, la menthe et l'huile d'olive. Assaisonnez.

3 Pratiquez plusieurs entailles parallèles dans le blanc de poulet avec un couteau bien aiguisé. Versez la moitié des ingrédients mélangés avec l'huile sur les blancs et remuez.

4 Mélangez les aubergines et le reste des légumes dans un autre saladier, ajoutez le reste du mélange à l'huile et remuez. Faites mariner le poulet et les légumes environ 30 minutes.

5 Mettez les blancs de poulet et les légumes sur un barbecue ou un gril très chaud en tournant de temps à autre jusqu'à ce qu'ils soient tendres et bien dorés. Vous pouvez également les faire cuire sur un gril en fonte sur une table de cuisson.

6 Badigeonnez les tranches de pain d'huile d'olive et faites-les dorer au gril.

7 Arrosez le poulet et les légumes grillés d'un filet d'huile d'olive et servez chaud ou froid avec les rôties croustillantes.

Brochettes de Poulet des Îles

Dans cette recette, on donne au poulet la saveur des Caraïbes. Grâce à la marinade
il ne perd ni son moelleux ni sa succulence en cours de cuisson.

Pour 6 personnes

INGRÉDIENTS

750 g / 1 lb 10 onces de blancs de
  poulet sans os
2 cuil. à soupe de sherry demi-sec

3 mangues
feuilles de laurier
2 cuil. à soupe d'huile

2 cuil. à soupe de noix de coco,
  grossièrement râpée
poivre

1 Enlevez la peau du poulet et
coupez la chair en dés de 2,5 cm /
1 pouce, enrobez-les de sherry et d'un
peu de poivre.

2 Avec un couteau bien aiguisé
coupez les mangues en dés de
2,5 cm / 1 pouce. Jetez le noyau et la peau.

3 Enfilez de longues brochettes en
alternant le poulet, les dés de
mangue et les feuilles de laurier et
badigeonnez-les d'un peu d'huile.

4 Faites dorer les brochettes au gril,
modérément chauffé au préalable,
pendant 8 à 10 minutes en tournant de
temps en temps.

5 Saupoudrez les brochettes de noix
de coco et faites griller encore
30 secondes. Servez avec une salade
fraîche.

MON CONSEIL

Utilisez des mangues mûres
mais encore fermes car
elles se tiendront mieux
sur les brochettes pendant
la cuisson. L'ananas est
un autre fruit à chair
ferme qui pourrait convenir.

MON CONSEIL

Si vous utilisez des brochettes en métal,
n'oubliez pas qu'elles vont beaucoup
chauffer et que vous devez utiliser un gant
isolant ou des pinces pour les retourner.
Les brochettes en bois doivent être trempées
30 minutes dans l'eau avant l'emploi pour
les empêcher de brûler sur le barbecue et
les bouts qui restent exposés doivent être
recouverts de papier d'aluminium.

Pilons Aigres-doux

Ces pilons de poulet sont marinés pour leur donner un goût aigre-doux
un peu piquant et un glaçage brillant.

Pour 4 personnes

INGRÉDIENTS

8 pilons de poulet
4 cuil. à soupe de vinaigre de vin rouge
2 cuil. à soupe de concentré de tomate
2 cuil. à soupe de sauce de soja

2 cuil. à soupe de miel liquide
1 cuil. à soupe de sauce Worcestershire
1 gousse d'ail

une bonne pincée de poivre de Cayenne
sel, poivre
un brin de persil frais, en garniture

1 Enlevez la peau du poulet si vous voulez et faites 2 ou 3 entailles dans la chair avec un couteau bien aiguisé.

2 Disposez les pilons les uns à côté des autres dans un plat creux non métallique.

3 Mélangez le vinaigre de vin rouge, le concentré de tomate, la sauce de soja, le miel, la sauce Worcestershire, l'ail et le poivre de Cayenne et versez sur les pilons de poulet.

4 Laissez mariner 1 heure au réfrigérateur. Faites cuire les

pilons environ 20 minutes sur un barbecue chauffé au préalable, badigeonnez de marinade et retournez en cours de cuisson. Garnissez de persil et servez avec une salade.

MON CONSEIL

Pour donner un goût acidulé, ajoutez le jus d'un citron vert à la marinade. En cours de cuisson, vérifiez régulièrement que les pilons ne sont pas en train de brûler.

VARIANTE

Cette marinade aigre-douce va aussi très bien avec du porc ou des crevettes. Enfilez des dés de porc ou des crevettes sur les brochettes avec des morceaux de poivron et de petits oignons.

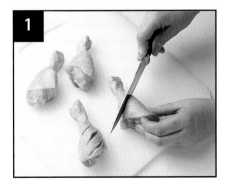

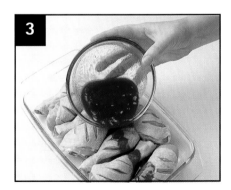

Poulet aux Herbes du Jardin

Par temps chaud, on mange plus léger. Ce plat de poulet frais servi dans une délicate vinaigrette aux herbes est parfait pour un dîner estival avec des amis, ou pour un pique-nique.

Pour 4 personnes

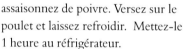

INGRÉDIENTS

4 blancs de poulet, sans peau et en partie désossés
6 cuil. à soupe d'huile d'olive
2 cuil. à soupe de jus de citron

4 cuil. à soupe d'herbes de saison (persil, ciboulette, menthe par exemple), finement hachées
1 avocat mûr

125 g / 4^1/$_2$ onces / ^{1}/$_2$ tasse de fromage blanc allégé
poivre
riz froid, pour accompagner

1 Avec un couteau bien aiguisé, faites 3 ou 4 entailles profondes dans chaque blanc de poulet.

2 Mettez le poulet dans un plat allant au feu et badigeonnez d'un peu d'huile d'olive.

3 Faites cuire le poulet au gril modérément chauffé au préalable en retournant une fois, jusqu'à ce qu'il soit doré et que le jus sorte clair quand on perce la partie la plus épaisse du poulet avec une petite broche.

4 Mélangez le reste de l'huile, le jus de citron et les herbes et assaisonnez de poivre. Versez sur le poulet et laissez refroidir. Mettez-le 1 heure au réfrigérateur.

5 Dénoyautez l'avocat (voir Mon Conseil), réduisez la chair et le fromage blanc en purée au mixeur. Poivrez. Servez le poulet accompagné de la sauce à l'avocat et de riz.

MON CONSEIL

Le poulet peut être cuit plusieurs heures à l'avance et réfrigéré jusqu'au dernier moment.

MON CONSEIL

Pour enlever facilement le noyau d'un avocat, coupez d'abord l'avocat en deux, tenez fermement la moitié contenant le noyau, enfoncez la pointe d'un couteau dans le noyau pour qu'elle y reste coincée et tournez le couteau avec précaution pour déloger le noyau.

Brochettes de Poulet Épicées aux Tomates

Ces brochettes épicées, faibles en matières grasses sont cuites en un rien de temps.
Elles peuvent en outre être assemblées à l'avance et mises au réfrigérateur jusqu'à l'emploi.

Pour 4 personnes

INGRÉDIENTS

500 g / 1 lb 2 onces de blancs de
    poulet, sans peau ni os
3 cuil. à soupe de concentré de tomate

2 cuil. à soupe de miel liquide
2 cuil. à soupe de sauce Worcestershire
1 cuil. à soupe de romarin frais, haché

250 g / 9 onces de tomates cerises
brins de romarin, en garniture
couscous ou riz, pour accompagner

1 Avec un couteau bien aiguisé, coupez le poulet en dés de 2,5 cm / 1 pouce et mettez-les dans un saladier.

2 Mélangez le concentré de tomate, le miel, la sauce Worcestershire et le romarin. Ajoutez au poulet et remuez pour bien enrober les morceaux.

3 Enfilez 8 brochettes en bois en alternant les morceaux de poulet et les tomates.

4 Faites cuire 8 à 10 minutes sous un gril bien chauffé au préalable en tournant de temps à autre, jusqu'à ce que le poulet soit cuit de part en part. Servez sur un lit de couscous ou de riz et décorez de brins de romarin.

MON CONSEIL

Le couscous est de la semoule de blé dont les graines ont été séparées. Il est très facile à préparer. Faites-le simplement tremper dans un récipient contenant de l'eau bouillante puis égrenez à la fourchette. On peut l'aromatiser, avec du citron ou de la noix de muscade par exemple.

MON CONSEIL

Les tomates cerises sont parfaites pour les barbecues car elles peuvent s'enfiler sans problèmes sur les brochettes. Comme elles sont entières, la peau retient le jus des tomates.

Poulet Grillé & Canapés au Pesto

Ce plat à l'italienne est richement parfumé au pesto, mélange de basilic, d'huile d'olive, de pignons de pin et de parmesan. Pour cette recette on peut employer aussi bien du pesto rouge que du pesto vert.

Pour 4 personnes

INGRÉDIENTS

8 cuisses de poulet, en partie désossées
huile d'olive, pour badigeonner
400 ml / 14 oz liquides / 1²/₃ tasse de
passata (tomates tamisées)

120 ml / 4 oz liquides / ¹/₂ tasse de
pesto, vert ou rouge
12 tranches de baguette
90 g / 3 onces / 1 tasse de parmesan
fraîchement râpé

60 g / 2 onces / ¹/₂ tasse de pignons de
pin ou d'amandes effilées
feuilles de salade, pour accompagner

1 Disposez les cuisses de poulet les unes à côté des autres au fond d'un grand plat allant au feu et badigeonnez légèrement d'huile. Mettez environ 15 minutes sous un gril chauffé au préalable en tournant de temps en temps pour que le poulet soit bien doré.

2 Percez le poulet avec une petite broche pour vous assurer qu'il n'y a pas de trace rosée dans le jus.

3 Jetez la graisse qui reste dans le plat. Faites chauffer la passata et la moitié du pesto dans une petite casserole et versez sur le poulet. Faites griller encore quelques minutes en tournant jusqu'à ce que le poulet soit bien recouvert.

4 Pendant ce temps, tartinez le reste du pesto sur les tranches de pain. Mettez le pain sur le poulet et saupoudrez de parmesan. Parsemez les pignons de pin sur le fromage. Faites griller 2 à 3 minutes jusqu'à ce que le fromage soit roux et forme des bulles. Servez avec des feuilles de salade.

MON CONSEIL

Si vous laissez la peau, le poulet aura une plus forte teneur en matières grasses mais beaucoup de gens aiment cette peau grasse et croustillante, surtout quand elle est carbonisée par le barbecue. La peau a aussi la propriété de retenir les sucs.

Pilons à la Moutarde au Barbecue

Excellente pour un barbecue, un simple déjeuner estival ou encore un pique-nique,
voilà une recette facile et savoureuse pour accommoder les pilons de poulet.

Pour 4 personnes

INGRÉDIENTS

10 tranches de lard de poitrine fumée
1 gousse d'ail, épluchée et écrasée
3 cuil. à soupe de moutarde en grains

4 cuil. à soupe de miettes fraîches de
pain complet
8 pilons de poulet

1 cuil. à soupe d'huile de tournesol
brins de persil frais, en garniture

1 Coupez 2 des tranches de lard de poitrine en petits morceaux et faites-les revenir 3 à 4 minutes, sans ajouter de graisse, en remuant pour que le lard n'attache pas à la poêle. Retirez du feu et ajoutez l'ail écrasé, 2 cuil. à soupe de moutarde en grains et les miettes de pain, mélangez.

2 Détachez soigneusement la peau de chaque pilon avec vos doigts en faisant attention à ne pas la déchirer. Avec une cuillère, mettez un peu de la farce à la moutarde sous la peau de chaque pilon puis tirez bien la peau par-dessus.

3 Enroulez une tranche de lard de poitrine autour de chaque pilon et attachez avec des cure-dents.

4 Mélangez le reste de la moutarde et l'huile, badigeonnez-en les pilons de poulet et faites cuire environ 25 minutes sur un barbecue ou un gril modérément chauffé au préalable, jusqu'à ce qu'il n'y ait plus de trace rosée dans le jus quand on perce la partie la plus épaisse du poulet avec une petite broche.

5 Décorez avec les brins de persil. Les pilons peuvent être servis chauds ou froids.

MON CONSEIL

Ne faites pas cuire le poulet sur la partie
la plus chaude du barbecue, l'extérieur
risquerait de brûler avant que
l'intérieur ne soit cuit.

Poulet à la Menthe & au Citron Vert

Ces morceaux de poulet au goût acidulé, enrobés de menthe et de citron vert, sont servis avec une sauce froide assortie à base de yaourt nature crémeux. On peut les servir pour un barbecue ou en plat principal lors d'un dîner.

Pour 6 personnes

INGRÉDIENTS

3 cuil. à soupe de menthe, finement hachée

4 cuil. à soupe de miel liquide

4 cuil. à soupe de jus de citron vert

12 cuisses de poulet désossées

SAUCE :

150 g / 5$\frac{1}{2}$ onces / $\frac{1}{2}$ tasse de yaourt nature épais

1 cuil. à soupe de menthe, finement hachée

2 cuil. à café de zeste de citron vert finement râpé

1 Dans un saladier, mélangez la menthe, le miel et le jus de citron vert.

2 Donnez une forme régulière aux cuisses de poulet et maintenez-les ainsi avec des cure-dents. Mettez le poulet dans la marinade et tournez-le pour bien l'enrober.

3 Laissez mariner au moins 30 minutes, ou de préférence la veille pour le lendemain. Faites cuire le poulet sur un barbecue ou gril modérément chauffé au préalable en tournant fréquemment et en arrosant

de marinade. Le poulet est cuit quand le jus sort clair si on perce la partie la plus épaisse avec une petite broche.

4 Pendant ce temps, mélangez les ingrédients de la sauce.

5 Enlevez les cure-dents et servez le poulet avec une salade et la sauce.

VARIANTE

Cette marinade peut aussi s'utiliser pour faire des brochettes, on alterne alors le poulet avec des quartiers de citron vert et d'oignon rouge.

MON CONSEIL

On peut cultiver la menthe dans son jardin ou dans une jardinière. C'est une herbe très utile dans les marinades et les assaisonnements. Le persil et le basilic sont aussi des herbes faciles à cultiver et pratiques à avoir sous la main.

Brochettes de Poulet à la Sauce aux Mûres

*Cette recette d'automne peut se faire avec des mûres sauvages fraîchement cueillies
dans les haies, si vous avez la chance d'en avoir.*

Pour 4 personnes

INGRÉDIENTS

4 blancs ou 8 cuisses de poulet
4 cuil. à soupe de cidre ou de vin blanc
  sec
2 cuil. à soupe de romarin frais, haché

poivre
brins de romarin et mûres, en garniture
salade verte, pour accompagner

SAUCE :
200 g / 7 onces / 2 petites tasses de
  mûres
1 cuil. à soupe de vinaigre de cidre
2 cuil. à soupe de gelée de groseille
1/4 cuil. à café de noix de muscade râpée

1 A l'aide d'un couteau bien aiguisé, coupez les morceaux de poulet en dés de 2,5 cm / 1 pouce et mettez-les dans un saladier. Arrosez de vin blanc, saupoudrez de romarin et poivrez bien. Couvrez et laissez mariner au moins une heure.

2 Égouttez les morceaux de poulet et réservez la marinade. Enfilez la viande sur 8 brochettes en bois imbibées d'eau, ou en métal.

3 Faites cuire 8 à 10 minutes au gril modérément chauffé au préalable en tournant de temps à autre jusqu'à ce que le poulet soit bien doré et cuit de toutes parts.

4 Pendant ce temps, pour faire la sauce, versez la marinade dans une casserole avec les mûres, faites chauffer à petit feu pour ramollir les fruits. Passez le mélange au chinois en appuyant avec le dos d'une cuillère.

5 Remettez la purée de mûres dans la casserole, ajoutez le vinaigre de cidre et la gelée de groseille et portez à ébullition. Laissez bouillir à découvert jusqu'à ce que la sauce soit réduite d'environ un tiers.

6 Versez un peu de cette sauce dans chaque assiette et posez une brochette de poulet dessus. Saupoudrez de noix de muscade, garnissez de romarin et de mûres et servez très chaud.

MON CONSEIL

*Si vous utilisez des fruits en conserve,
ne mettez pas de gelée de groseille.*

Poussin grillé au Citron & à l'Estragon

Ces poussins grillés à la crapaudine sont agrémentés d'un délicat parfum au citron et à l'estragon.

Pour 2 personnes

INGRÉDIENTS

2 poussins
4 brins d'estragon frais
1 cuil. à café d'huile

25 g / 1 once / 2 cuil. à soupe de beurre
zeste d'un demi citron
1 cuil. à soupe de jus de citron

1 gousse d'ail, écrasée
sel, poivre
estragon et rondelles d'orange, en garniture

1 Préparez les poussins. Posez-les dos dessus sur une planche à découper et coupez la colonne vertébrale avec des ciseaux de cuisine. Aplatissez doucement chaque volaille en cassant les os de manière à ce qu'elle se tienne à plat pendant la cuisson. Salez.

2 Retournez les poussins et glissez un brin d'estragon sous la peau de chaque blanc.

3 Badigeonnez les poussins d'huile avec un pinceau et mettez-les sous un gril bien chauffé au préalable, à environ 13 cm / 5 pouces de la source de chaleur. Faites griller environ 15 minutes, en les retournant à mi-cuisson, jusqu'à ce qu'ils soient bien dorés.

4 Pendant ce temps, pour faire le glaçage, faites fondre le beurre dans une petite casserole, ajoutez le zeste de citron, le jus de citron et l'ail puis salez et poivrez.

5 Badigeonnez les poussins de ce glaçage et faites cuire encore 15 minutes en les retournant une fois et en les badigeonnant régulièrement pour qu'ils gardent leur moelleux. Garnissez le poulet d'estragon et de rondelles d'orange et accompagnez de pommes de terre nouvelles.

MON CONSEIL

Quand les poussins sont aplatis, passez deux brochettes en métal au travers pour les maintenir à plat.

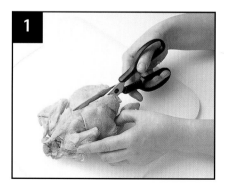

Quarts de Poulet au Barbecue à l'Aïoli Chaud

Des quarts de poulet sont cuits au barbecue puis servis accompagnés d'une mayonnaise fortement parfumée à l'ail originaire de Provence.

Pour 4 personnes

INGRÉDIENTS

4 quarts de poulet
2 cuil. à soupe d'huile
2 cuil. à soupe de jus de citron
2 cuil. à café de thym déshydraté
salade verte et rondelles de citron,
    pour accompagner

sel, poivre

AÏOLI :
5 gousses d'ail, écrasées
2 jaunes d'œufs

120 ml / 4 oz liquides / ¹/₂ tasse d'huile
    d'olive
120 ml / 4 oz liquides / ¹/₂ tasse d'huile
    de tournesol
2 cuil. à café de jus de citron
2 cuil. à soupe d'eau bouillante

1 Piquez les quarts de poulet en plusieurs endroits avec une brochette et mettez-les dans un plat creux.

2 Mélangez l'huile, le jus de citron, le thym et l'assaisonnement puis versez sur le poulet, tournez-le pour bien l'enrober. Laissez mariner 2 heures.

3 Pour l'aïoli, mélangez l'ail et une pincée de sel en pommade. Ajoutez les jaunes d'œufs et battez bien. Ajoutez les huiles au goutte à goutte en battant vigoureusement jusqu'à ce que la mayonnaise devienne lisse et crémeuse. Ajoutez ensuite les huiles en un mince filet régulier tout en continuant à battre jusqu'à ce que l'aïoli soit épais. Ajoutez le jus de citron, poivrez, mélangez. Réservez dans un endroit chaud.

4 Mettez le poulet sur un barbecue préchauffé et faites cuire 25 à 30 minutes. Badigeonnez de marinade et retournez les morceaux pour obtenir une cuisson régulière. Retirez du feu et dressez dans un plat de service.

5 Battez l'eau dans l'aïoli et versez celui-ci dans un petit saladier de service chaud. Servez le poulet avec l'aïoli, une salade verte et des rondelles de citron.

MON CONSEIL

Pour faire un aïoli rapide, ajoutez l'ail à 300 ml / ¹/₂ pinte / 1¹/₄ tasse de mayonnaise de bonne qualité, placez le saladier sur une casserole d'eau chaude et mélangez au fouet. Juste avant de servir, ajoutez 1 ou 2 cuillerées à soupe d'eau bouillante.

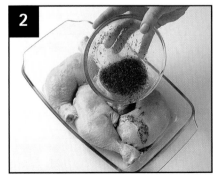

Spirales de Poulet en Brochettes

*Ces chiches-kebabs inhabituels au poulet ont une délicieuse saveur méditerranéenne
et le bacon les empêche de sécher pendant la cuisson.*

Pour 4 personnes

INGRÉDIENTS

4 blancs de poulet, sans peau ni os
1 gousse d'ail, écrasée
2 cuil. à soupe de concentré de tomate

4 tranches de bacon maigre fumé
une grosse poignée de feuilles de
basilic frais

huile pour badigeonner
sel, poivre

1 Étalez un morceau de poulet entre deux feuilles de film fraîcheur et tapez avec un rouleau à pâtisserie pour aplatir le blanc et faire en sorte qu'il soit d'épaisseur uniforme. Faites la même chose avec les autres morceaux de poulet.

2 Mélangez bien l'ail écrasé et le concentré de tomate. Étalez régulièrement sur la surface du poulet.

3 Mettez une tranche de bacon sur chaque morceau de poulet et parsemez de feuilles de basilic frais. Salez et poivrez bien.

4 Roulez chaque morceau de poulet bien serré puis coupez-le en tranches épaisses avec un couteau bien aiguisé.

5 Enfilez les tranches sur 4 brochettes en veillant à ce qu'elles ne se déroulent pas.

6 Badigeonnez d'un peu d'huile et faites cuire environ 5 minutes au barbecue ou au gril bien chauffé au préalable. Retournez les brochettes et prolongez la cuisson de 5 minutes jusqu'à ce que le poulet soit cuit de part en part. Servez ces spirales de poulet très chaudes avec une salade verte.

MON CONSEIL

On aplatit les blancs de poulet pour qu'ils soient moins épais et qu'ils cuisent plus rapidement. Cela les rend aussi plus faciles à rouler.

VARIANTE

Pour ajouter au thème méditerranéen, vous pouvez servir ces chiches-kebabs avec du pain tartiné de beurre d'ail chaud et saupoudré de parmesan.

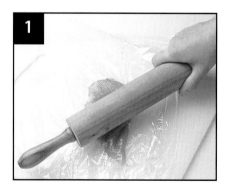

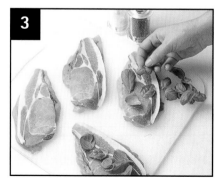

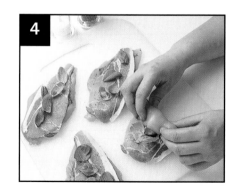

Plats Épicés

Comme le poulet est fort apprécié à travers le monde, il existe un nombre incalculable de recettes épicées en provenance d'Asie, du Mexique, des Caraïbes, d'Espagne ou du Japon. Le jus de citron vert, les cacahuètes, la noix de coco et le piment rouge apportent les authentiques saveurs thaïlandaises au Poulet au Piment Rouge et à la Noix de Coco tandis que le Poulet Cachemirien est un riche plat épicé en provenance du nord de l'Inde avec une sauce aromatisée à base de yaourt, de pâte de curry pour tikka, de cumin, de gingembre, de piment rouge et d'amandes. D'Espagne nous vient le Poulet Espagnol aux Crevettes avec son mélange original de poulet, de crustacés et du fameux saucisson épicé espagnol, le chorizo, mitonnés dans une sauce contenant de l'ail, des tomates et du vin blanc. Le Poulet aux Abricots Épicé au Cumin est une recette créative contemporaine, idéale pour n'importe quelle grande occasion. Le poulet est farci d'abricots secs, enrobé de sauce au yaourt, cumin, et safran des Indes et servi avec du riz aux noisettes. Il y a même un plat japonais, le Teppanyaki, simple plat de poulet coupé en lamelles sauté avec des poivrons, des ciboules et des pousses de soja et servi avec une sauce froide au Mirin.

Poulet en Sauce aux Poivrons Rouges et aux Amandes

*Ce délicieux plat de poulet allie de chaudes saveurs d'épices
à celle des amandes et est agrémenté de grains d'anis.*

Pour 4 personnes

INGRÉDIENTS

25 g / 1 once / 2 cuil. à soupe de beurre
7 cuil. à soupe d'huile végétale
4 blancs de poulet sans peau ni os,
  coupés en morceaux de 4 cm /
  2 pouces x 2 cm / 1 pouce
1 oignon moyen, grossièrement émincé
1 morceau de 2 cm / 1 pouce de
  gingembre frais
3 gousses d'ail, épluchées

25 g / 1 once / $^1/_4$ de tasse d'amandes
  blanchies
1 gros poivron rouge, coupé en gros
  morceaux
1 cuil. à soupe de cumin en poudre
2 cuil. à café de coriandre en poudre
1 cuil. à café de safran des Indes en
  poudre
pincée de poivre de Cayenne

$^1/_2$ cuil. à café de sel
150 ml / $^1/_4$ de pinte / $^2/_3$ de tasse d'eau
3 graines d'anis étoilé
2 cuil. à soupe de jus de citron
poivre
amandes effilées, en garniture
riz, pour accompagner

1 Faites chauffer le beurre et 1 cuillerée à soupe d'huile dans une poêle. Ajoutez les morceaux de poulet et faites dorer 5 minutes. Transférez le poulet dans une assiette et réservez au chaud jusqu'à l'emploi.

2 Dans un mixeur, mettez l'oignon, le gingembre, l'ail, les amandes, le poivron rouge, le cumin, la coriandre, le safran des Indes, le poivre de Cayenne et le sel. Mélangez pour obtenir une pâte lisse.

3 Faites chauffer le reste de l'huile dans une grande casserole ou une sauteuse, ajoutez la pâte d'épices et faites frire 10 à 12 minutes.

4 Ajoutez les morceaux de poulet, l'eau, l'anis étoilé, le jus de citron et le poivre. Couvrez, baissez le feu et laissez mijoter doucement 25 minutes, ou jusqu'à ce que le poulet soit tendre, remuez plusieurs fois en cours de cuisson.

5 Transférez le poulet dans un plat de service, saupoudrez d'amandes effilées et servez avec des timbales de riz individuelles.

Poulet au Curry à l'Ail & aux Fruits

Servez ce curry fruité accompagné de chutney à la mangue et de naan et garni de raisins sans pépins.
Des mangues ou des poires peuvent très bien remplacer l'ananas.

Pour 4 à 6 personnes

INGRÉDIENTS

1 cuil. à soupe d'huile
900 g / 2 lb de chair de poulet, coupée en petits morceaux
60 g / 2 onces / 4 cuil. à soupe de farine, assaisonnée
32 échalotes, grossièrement hachées
4 gousses d'ail, écrasées avec un peu d'huile d'olive

3 pommes à cuire, coupées en dés
1 ananas, coupé en dés
125 g / 4$^1/_2$ onces / $^3/_4$ de tasse de raisins de Smyrne
1 cuil. à soupe de miel liquide
300 ml / $^1/_2$ pinte / 1$^1/_4$ tasse de bouillon de poule

2 cuil. à soupe de sauce Worcestershire
3 cuil. à soupe de pâte de curry forte
150 ml / $^1/_4$ de pinte / $^2/_3$ de tasse de crème aigre
sel, poivre
rondelles d'orange, en garniture
riz, pour accompagner

1 Faites chauffer l'huile dans une grande poêle. Enrobez la viande de farine assaisonnée et faites-la dorer de toutes parts, environ 4 minutes. Transférez le poulet dans une grande cocotte et réservez au chaud.

2 Faites revenir doucement les échalotes, l'ail, les pommes, l'ananas et les raisins de Smyrne dans le jus de cuisson.

3 Ajoutez le miel, le bouillon de poule, la sauce Worcestershire et la pâte de curry forte. Salez et poivrez à volonté.

4 Versez la sauce sur le poulet et couvrez la cocotte avec un couvercle ou du papier d'aluminium.

5 Faites cuire environ 2 heures au milieu d'un four préchauffé à 180°C / 350°F / th 4. Ajoutez la crème aigre et mélangez, faites cuire encore 15 minutes. Servez le curry accompagné de riz et décoré d'une rondelle d'orange.

VARIANTE

Le riz à la noix de coco constitue également un excellent accompagnement pour ce plat. Mettez 25 g / 1 once de crème de coco hachée, 1 bâton de cannelle et 600 ml / 1 pinte / 2$^1/_4$ tasses d'eau dans une grande casserole et portez à ébullition. Ajoutez 350 g / 12 onces / 1$^3/_4$ tasse de riz basmati, couvrez et laissez frémir 15 minutes jusqu'à ce que tout le liquide soit absorbé. Enlevez le bâton de cannelle avant de servir.

Tortillas au Poulet aux Épices

*Servez ces tortillas faciles à préparer à des amis ou lors d'un dîner en famille un peu spécial. La garniture
au poulet a une saveur épicée d'une douceur exquise. Une salade fraîche constitue un accompagnement idéal.*

Pour 4 personnes

INGRÉDIENTS

2 cuil. à soupe d'huile

8 cuisses de poulet, sans peau ni os,
coupées en lanières

1 oignon, haché

2 gousses d'ail, hachées

1 cuil. à café de graines de cumin,
grossièrement écrasées

2 gros piments secs, émincés

une boîte de 400 g / 14 onces de
tomates

une boîte de 400 g / 14 onces de
haricots rouges, égouttés

150 ml / ¼ de pinte / ⅔ de tasse de
bouillon de poule

2 cuil. à café de sucre

sel, poivre

des quartiers de citron vert, en garniture

ACCOMPAGNEMENT :

1 gros avocat mûr

1 citron vert

8 tortillas souples

250 ml / 9 oz liquides / 1 tasse de
yaourt épais

1 Faites chauffer l'huile dans une grande poêle ou un wok et
faites-y dorer le poulet 3 minutes.
Ajoutez l'oignon et faites sauter encore
5 minutes en remuant jusqu'à ce qu'il
soit bien doré. Ajoutez l'ail, le cumin
et les piments rouges avec leurs graines,
faites cuire environ 1 minute.

2 Ajoutez les tomates, les haricots rouges, le bouillon, le sucre et du
sel et du poivre à volonté. Portez à
ébullition tout en écrasant les tomates.
Couvrez et laissez frémir 15 minutes.
Enlevez le couvercle et faites cuire

encore 5 minutes en remuant de temps
en temps jusqu'à ce que la sauce
s'épaississe.

3 Coupez l'avocat en deux, jetez le noyau, sortez la chair et mettez-
la dans une assiette. Écrasez l'avocat à la
fourchette. Coupez la moitié du citron
vert en 8 petits quartiers. Pressez le jus
de l'autre moitié sur l'avocat.

4 Faites chauffer les tortillas en suivant le mode d'emploi sur le
paquet. Mettez 2 tortillas dans chaque
assiette, remplissez du mélange au

poulet et garnissez avec des cuillerées
d'avocat et de yaourt. Décorez les
tortillas avec les quartiers de citron vert.

VARIANTE

*Si vous voulez une garniture végétarienne,
remplacez le poulet par 400 g / 14 onces
de haricots blancs ou marbrés en
conserve et le bouillon de poule par
du bouillon de légumes.*

Gombo de Poulet Cajun

Ce plat principal complet est cuit dans une casserole, et c'est tout. Si vous cuisinez pour une seule personne,
utilisez la moitié des ingrédients, mais le temps de cuisson doit rester le même.

Pour 2 personnes

INGRÉDIENTS

1 cuil. à soupe d'huile de tournesol
4 cuisses de poulet
1 petit oignon, coupé en dés
2 branches de céleri, coupées en dés
1 petit poivron vert, coupé en dés

90 g / 3 onces / ½ tasse de riz à grains
  longs
300 ml / ½ pinte / 1¼ tasse de
  bouillon de poule
1 petit piment rouge

250 g / 9 onces de gombo
15 ml / 1 cuil. à soupe de concentré de
  tomate
sel, poivre

1 Faites chauffer l'huile dans une grande casserole et faites-y dorer le poulet. Retirez le poulet de la casserole avec une écumoire. Ajoutez l'oignon, le céleri et le poivron, mélangez et faites revenir 1 minute. Jetez la graisse qui reste dans la casserole.

2 Ajoutez le riz et faites frire encore 1 minute en remuant énergiquement, mouillez avec le bouillon de poule et portez à ébullition.

3 Émincez le piment rouge et préparez le gombo. Mettez-les dans la casserole ainsi que le concentré de tomate. Assaisonnez à volonté.

4 Remettez le poulet dans la casserole et remuez. Couvrez hermétiquement et faites mijoter 15 minutes environ, jusqu'à ce que le riz soit tendre, que le poulet soit cuit de part en part et que tout le liquide soit absorbé. Remuez de temps à autre et si le gombo commence à trop se dessécher, mouillez-le avec un peu plus de bouillon. Servez immédiatement.

MON CONSEIL

Le piment rouge entier rend ce plat
très épicé, si vous préférez un goût
moins fort, retirez les graines
du piment.

VARIANTE

Vous pouvez, au choix, remplacer
le poulet par 250 g / 9 onces de
crevettes décortiquées et 90 g / 3 onces
de poitrine de porc. Émincez le porc
et faites-le frire dans l'huile avant
d'y ajouter les oignons. Ajoutez les
crevettes 5 minutes avant la fin
de la cuisson.

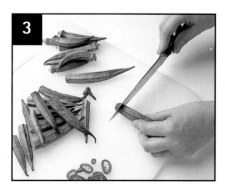

Poulet Mexicain

Les piments rouges, les tomates et le maïs sont des ingrédients typiques
de la cuisine mexicaine.

Pour 4 personnes

INGRÉDIENTS

2 cuil. à soupe d'huile
8 pilons de poulet
1 oignon moyen, finement haché
1 cuil. à café de chili en poudre

1 cuil. à café de coriandre en poudre
une boîte de 400 g / 14 onces de
   tomates concassées
2 cuil. à soupe de concentré de tomate

125 g / 4¹⁄₂ onces / ²⁄₃ de tasse de maïs
   surgelé
sel, poivre
riz et salade de poivrons mélangés,
   pour accompagner

1 Faites chauffer l'huile dans une grande poêle, ajoutez les pilons de poulet et faites-les légèrement dorer à feu moyen. Retirez les pilons de la poêle avec une écumoire et réservez.

2 Ajoutez l'oignon haché dans la poêle et faites-le revenir 3 à 4 minutes, ajoutez le chili et la coriandre en poudre, faites cuire quelques secondes en remuant énergiquement pour que les épices n'attachent pas au fond de la poêle. Ajoutez les tomates concassées avec leur jus et le concentré de tomate. Mélangez bien.

3 Remettez les pilons de poulet dans la poêle et faites mijoter environ 20 minutes pour que le poulet soit tendre et cuit de part en part. Ajoutez le maïs et prolongez la cuisson de 3 ou 4 minutes. Salez et poivrez à volonté.

4 Servez le Poulet Mexicain avec du riz et une salade de poivrons divers.

MON CONSEIL

Normalement, il n'est pas conseillé de congeler les plats mexicains parce que les forts arômes qu'ils contiennent, le chili par exemple, s'intensifient à la congélation et si on les laisse trop longtemps il peut se développer un désagréable goût de moisi.

Poulet à la Sauce aux Haricots Noirs et Poivrons

Ce délicieux sauté de poulet à l'orientale est facile et rapide à préparer.
Il est plein de saveurs fraîches et de légumes croquants.

Pour 4 personnes

INGRÉDIENTS

400 g / 14 onces de blancs de poulet
    émincés
une pincée de Maïzena
2 cuil. à soupe d'huile
1 gousse d'ail, écrasée
1 cuil. à soupe de sauce aux haricots noirs
1 petit poivron rouge et 1 vert, coupés
    en lanières

1 piment rouge, finement haché
75 g / $2^3/4$ onces / 1 tasse de
    champignons émincés
1 oignon, haché
6 ciboules, hachées
sel, poivre
nouilles chinoises fraîches, pour
    accompagner

ASSAISONNEMENT :
$1/2$ cuil. à café de sel
$1/2$ cuil. à café de sucre
3 cuil. à soupe de bouillon de poule
1 cuil. à soupe de sauce de soja foncée
2 cuil. à soupe de bouillon de bœuf
2 cuil. à soupe de vin de riz
1 cuil. à café de Maïzena délayée avec
    un peu de vin de riz

1 Mettez les lanières de poulet dans un saladier. Ajoutez une pincée de sel et une pincée de Maïzena. Recouvrez d'eau et laissez reposer 30 minutes.

2 Faites chauffer une cuillerée à soupe d'huile dans un wok ou une sauteuse et faites sauter le poulet 4 minutes en remuant. Transférez le poulet dans un plat de service chaud. Lavez le wok ou la sauteuse.

3 Faites chauffer le reste de l'huile dans le wok et ajoutez l'ail, la sauce aux haricots noirs, les poivrons rouge et vert, le piment rouge, les champignons, l'oignon et les ciboules. Faites sauter les légumes 2 minutes en remuant et remettez le poulet dans le wok.

4 Ajoutez les ingrédients de l'assaisonnement et faites frire 3 minutes. Liez avec un peu de

la Maïzena délayée. Servez avec des nouilles fraîches.

MON CONSEIL

On peut trouver la sauce aux haricots noirs dans les magasins spécialisés et dans beaucoup de supermarchés. Si vous ne trouvez pas de nouilles fraîches, utilisez des nouilles sèches.

Teppanyaki

Ce mode de cuisine japonais, très simple, est idéal pour les blancs de poulet finement émincés.
Le Mirin est un vin de riz doux et onctueux en vente dans les magasins asiatiques.

Pour 4 personnes

INGRÉDIENTS

4 blancs de poulet, sans os
1 poivron rouge
1 poivron vert
4 ciboules

8 pousses de maïs
100 g / 3½ onces / ½ tasse de germes de soja
1 cuil. à soupe d'huile de tournesol ou de sésame

4 cuil. à soupe de sauce de soja
4 cuil. à soupe de mirin
1 cuil. à soupe de gingembre frais, râpé

1 Enlevez la peau du poulet et coupez-le, légèrement en biais, en lanières d'environ 5 mm / ¼ de pouce d'épaisseur.

2 Épépinez les poivrons et coupez-les en fines lanières. Préparez et coupez les ciboules et les pousses de maïs en rondelles. Disposez les poivrons, les ciboules, le maïs et les germes de soja dans une assiette avec le poulet émincé.

3 Faites chauffer une grande plaque en fonte ou une poêle à fond épais, huilez-la légèrement. Ajoutez les légumes et le poulet, par petits groupes,

en laissant suffisamment d'espace entre eux pour leur permettre de bien cuire.

4 Dans un petit saladier, mélangez la sauce de soja, le mirin et le gingembre. Servez cette sauce à part en accompagnement du poulet et des légumes.

VARIANTE

Si vous ne trouvez pas de mirin,
ajoutez une cuillerée de sucre roux
à la place dans la sauce.

VARIANTE

Au lieu de servir la sauce séparément,
vous pouvez l'utiliser en marinade.
Ne laissez pas le poulet mariner plus
de 2 heures cependant car la sauce de
soja le dessècherait et le durcirait.
Si vous voulez, vous pouvez utiliser
d'autres légumes, des mange-tout
ou des carottes émincées
par exemple.

Poulet des Caraïbes

*Ce plat exotique peut se faire avec n'importe quel morceau de poulet, mais pour une cuisson rapide et régulière
ce sont les pilons qui conviennent le mieux. La noix de coco fraîche râpée ajoute une délicieuse saveur des tropiques.*

Pour 4 personnes

INGRÉDIENTS

8 pilons de poulet, sans peau
2 citrons verts
1 cuil. à café de poivre de Cayenne
2 mangues moyennes

1 cuil. à soupe d'huile de tournesol
2 cuil. à soupe de sucre brun
quartiers de citron vert et persil frais,
en garniture

2 cuil. à soupe de noix de coco
grossièrement hachée (facultatif),
pour accompagner

1 Avec un couteau bien aiguisé,
faites plusieurs entailles dans les
pilons de poulet et mettez-les dans un
grand saladier.

2 Râpez les zestes de citron vert et
réservez.

3 Pressez le jus des citrons verts,
ajoutez-lui le poivre de Cayenne
et arrosez le poulet. Couvrez et mettez
au réfrigérateur au moins 2 heures, ou
bien la veille pour le lendemain.

4 Épluchez les mangues et
coupez-les en deux. Jetez les
noyaux et coupez la chair en tranches.

5 Égouttez les pilons de poulet avec
une écumoire et réservez le jus.
Faites chauffer l'huile dans une casserole
à fond épais et faites dorer les pilons en
les retournant fréquemment. Ajoutez
la marinade, le zeste de citron vert,
les tranches de mangue et le sucre brun.

6 Couvrez la casserole et laissez
cuire à feu doux 15 minutes
environ, en remuant de temps en temps,
jusqu'à ce que le jus sorte clair quand
on perce le poulet avec une petite
broche. Saupoudrez de noix de coco
râpée, si vous en utilisez, et décorez
de quartiers de citron vert et de persil
frais.

VARIANTE

*Quand vous achetez des mangues,
n'oubliez pas que la couleur de la peau
des mangues mûres varie du vert au rouge
rosé et que la chair peut aller du jaune
pâle à l'orange vif. Choisissez des
mangues qui sont un peu souples
au toucher.*

Poulet Espagnol aux Crevettes

*Ce plat original composé de poulet et de crustacés est typiquement espagnol. À la base de cette recette,
on trouve le sofrito, mélange d'oignons et de tomates mitonnés dans l'huile d'olive avec de l'ail et des poivrons.*

Pour 4 personnes

INGRÉDIENTS

4 quartiers de poulet
1 cuil. à soupe d'huile d'olive
1 poivron rouge
1 oignon moyen
2 gousses d'ail, écrasées

une boîte de 400 g / 14 onces de
  tomates concassées
200 ml / 7 oz liquides / 1 petite tasse
  de vin blanc sec
4 cuil. à soupe d'estragon frais, haché

125 g / 4½ onces / 1 tasse de chorizo
125 g / 4½ onces / 1 tasse de crevettes
  décortiquées
sel, poivre
riz, pour accompagner

1 Enlevez la peau du poulet. Faites chauffer l'huile dans une grande casserole à fond épais et faites bien dorer le poulet, en remuant de temps en temps.

2 Avec un couteau bien aiguisé, épépinez le poivron et coupez-le en lanières. Épluchez et émincez l'oignon. Ajoutez le poivron et l'oignon dans la casserole et faites-les revenir doucement.

3 Ajoutez l'ail, les tomates, le vin et l'estragon. Salez et poivrez bien

puis portez à ébullition, couvrez et laissez cuire à petit feu 45 minutes environ, jusqu'à ce que le poulet soit tendre et que le jus sorte clair quand on perce la partie la plus épaisse du poulet avec une petite broche.

4 Coupez le chorizo en fines rondelles et mettez-le dans la casserole en même temps que les crevettes, laissez cuire doucement encore 5 minutes. Ajustez l'assaisonnement à volonté et servez avec du riz.

MON CONSEIL

Le chorizo est un saucisson épicé d'origine espagnole à base de porc et fortement assaisonné de poivre de Cayenne ou de piment par exemple. On le trouve dans les grands supermarchés et les charcuteries spécialisées.

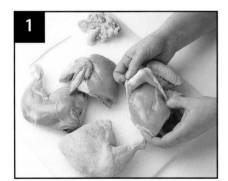

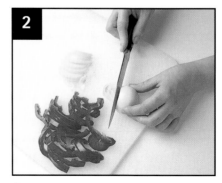

Poulet Korma

La korma est un curry doux et aromatique typique. Si vous voulez réduire la teneur en matières grasses de cette recette, remplacez la crème fraîche par du yaourt nature.

Pour 4 à 6 personnes

INGRÉDIENTS

750 g / 1 lb 10 onces de chair de poulet coupée en dés
300 ml / $^1/_2$ pinte / $1^1/_4$ tasse de crème fraîche entière
$^1/_2$ cuil. à café de garam masala

PÂTE KORMA :
2 gousses d'ail

1 morceau de 2,5 cm / 1 pouce de gingembre frais, grossièrement haché
50 g / $1^3/_4$ once / $^1/_3$ de tasse d'amandes blanchies
6 cuil. à soupe de bouillon de poule
1 cuil. à café de cardamome en poudre
4 clous de girofle, concassés
1 cuil. à café de cannelle

2 gros oignons, hachés
1 cuil. à café de graines de coriandre
2 cuil. à café de graines de cumin en poudre
1 pincée de poivre de Cayenne
6 cuil. à soupe d'huile d'olive
sel, poivre
coriandre, en garniture

1 Mettez tous les ingrédients de la pâte korma au mixeur et réduisez en une pommade bien homogène.

2 Mettez les dés de poulet dans un saladier et versez la pâte korma dessus. Mélangez pour bien enrober le poulet. Couvrez et mettez 3 heures au réfrigérateur pour que le poulet puisse s'imprégner des arômes de la korma.

3 Faites cuire la viande 25 minutes à feu doux dans une grande casserole en ajoutant un peu de bouillon si le mélange commence à se dessécher.

4 Ajoutez la crème fraîche et le garam masala dans la casserole et laissez cuire doucement encore 15 minutes. Laissez reposer 10 minutes avant de servir. Garnissez le poulet korma de coriandre fraîche et servez accompagné de riz.

MON CONSEIL

Le garam masala est le nom donné au mélange d'épices le plus couramment employé dans la préparation des currys. Il peut s'acheter tout prêt ou vous pouvez le faire vous-même en broyant 1 cuil. à café de graines de cardamome, 2 cuil. à café de clous de girofle, 2 cuil. à soupe de graines de cumin, 2 cuil. à soupe de graines de coriandre, 1 bâton de cannelle de 7,5 cm / 3 pouces, 1 cuil. à soupe de grains de poivre noir et 1 piment rouge sec.

Poulet Royal Farci aux Noix de Cajou

*La majeure partie de cette farce savoureuse n'est pas cuite avec le poulet,
une petite quantité seulement est insérée par le cou.*

Pour 4 personnes

INGRÉDIENTS

1 poulet d'environ 1,5 kg / 3 lb 5 onces
1 petit oignon coupé en deux
25 g / 1 once / 2 cuil. à soupe de beurre, fondu
1 cuil. à café de safran des Indes en poudre
1 cuil. à café de gingembre en poudre
$^1/_2$ cuil. à café de poivre de Cayenne
sel, poivre
coriandre fraîche, en garniture

FARCE :
2 cuil. à soupe d'huile
1 oignon moyen, finement haché
$^1/_2$ poivron rouge moyen, finement haché
2 gousses d'ail, écrasées
125 g / 4$^1/_2$ onces / $^1/_2$ tasse de riz basmati
350 ml / 12 oz liquides / 1$^1/_2$ tasse de bouillon de poule, très chaud

zeste râpé d'$^1/_2$ citron
$^1/_2$ cuil. à café de safran des Indes en poudre
$^1/_2$ cuil. à café de gingembre en poudre
$^1/_2$ cuil. à café de coriandre en poudre
une pincée de poivre de Cayenne
90 g / 3 onces / $^1/_2$ tasse de noix de cajou salées

1 Pour la farce, faites chauffer l'huile dans une casserole, ajoutez l'oignon, le poivron rouge et l'ail, faites cuire doucement 4 ou 5 minutes. Ajoutez le riz et remuez pour bien l'enrober d'huile. Ajoutez le bouillon, portez à ébullition et laissez frémir 15 minutes, jusqu'à ce que tout le liquide soit absorbé. Versez dans un saladier et ajoutez le reste des ingrédients de la farce. Poivrez bien.

2 Mettez la moitié de la farce dans le poulet, par le cou, et fermez avec un cure-dent. Mettez l'oignon coupé en deux dans le poulet. Versez le reste de la farce au riz dans un plat graissé allant au four et couvrez de papier d'aluminium.

3 Mettez le poulet dans un plat à rôtir. Percez-le sur toute sa surface, mais en évitant la partie farcie.

Mélangez le beurre et les épices, assaisonnez et badigeonnez-en le poulet.

4 Faites rôtir 1 heure à four préchauffé à 190°C / 375°F / th 5 en arrosant le poulet de temps à autre. Mettez le plat contenant la farce au riz dans le four et prolongez la cuisson du poulet de 30 minutes. Retirez le cure-dent et servez le poulet avec la farce et le jus de cuisson.

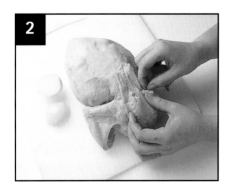

Sauté de Poulet Thaïlandais aux Légumes

La noix de coco ajoute de l'onctuosité et une saveur délicieuse à ce sauté
à la thaïlandaise corsé de piment vert.

Pour 4 personnes

INGRÉDIENTS

3 cuil. à soupe d'huile de sésame

350 g / 12 onces de blanc de poulet, émincé

8 échalotes, émincées

2 gousses d'ail, finement hachées

1 piment vert, finement haché

1 morceau de 2,5 cm / 1 pouce de gingembre frais, râpé

1 poivron rouge et 1 vert, coupés en fines lanières

3 courgettes, coupées en minces rondelles

2 cuil. à soupe d'amandes en poudre

1 cuil. à café de cannelle en poudre

1 cuil. à soupe de sauce d'huître

50 g / 1³/₄ once / ¹/₄ de tasse de crème de coco, râpée

sel, poivre

1 Faites chauffer l'huile de sésame dans un wok, ajoutez le poulet, salez et poivrez et faites sauter en remuant environ 4 minutes.

2 Ajoutez les échalotes, l'ail, le gingembre et le piment, faites sauter en remuant 2 minutes.

3 Ajoutez les poivrons et les courgettes et faites cuire environ 1 minute.

4 Pour terminer, ajoutez le reste des ingrédients et l'assaisonnement. Faites sauter en remuant 1 minute et servez.

MON CONSEIL

On trouve la crème de coco en plaque dans les supermarchés et les épiceries orientales. Il est toujours bon d'en avoir en réserve dans ses placards car elle ajoute de l'onctuosité et fait ressortir les saveurs.

MON CONSEIL

Comme la force du piment vient en grande partie de ses graines, si vous préférez un goût moins épicé, enlevez-les avant la cuisson. Faites très attention quand vous manipulez des piments, ne touchez pas votre visage ou vos yeux car le jus du piment peut être très douloureux. Lavez-vous toujours soigneusement les mains après avoir cuisiné des piments.

Pilaf de Poulet Doré

C'est une version simple de pilaf indien onctueux et légèrement épicé. Bien que beaucoup d'ingrédients entrent dans sa composition, ce plat requiert très peu de préparation.

Pour 4 personnes

INGRÉDIENTS

60 g / 2 onces / 4 cuil. à soupe de beurre

8 cuisses de poulet, sans peau ni os, coupées en gros morceaux

1 oignon moyen, émincé

1 cuil. à café de safran des Indes en poudre

1 cuil. à café de cannelle en poudre

250 g / 9 onces / 1 tasse de riz à grains longs

425 ml / $^3/_4$ de pinte / 1$^3/_4$ tasse de yaourt nature

60 g / 2 onces / $^1/_3$ tasse de raisins de Smyrne

200 ml / 7 oz liquides / 1 petite tasse de bouillon de poule

1 tomate moyenne, en morceaux

2 cuil. à soupe de coriandre fraîche ou de persil, haché

2 cuil. à soupe de noix de coco grillée

sel, poivre

coriandre fraîche, en garniture

---

1 Faites chauffer le beurre dans une poêle à fond épais ou à revêtement anti-adhésif. Faites cuire le poulet et les oignons environ 3 minutes.

2 Ajoutez le safran des Indes, la cannelle, le riz et l'assaisonnement et faites frire doucement 3 minutes.

3 Ajoutez le yaourt nature, les raisins de Smyrne et le bouillon de poule, mélangez soigneusement. Couvrez et laissez mijoter 10 minutes

en remuant de temps à autre jusqu'à ce que le riz soit tendre et que tout le bouillon ait été absorbé. Si la préparation commence à se dessécher, rajoutez un peu de bouillon.

4 Ajoutez la tomate en morceaux et la coriandre ou le persil frais, mélangez.

5 Saupoudrez la noix de coco grillée sur le pilaf et garnissez de coriandre fraîche.

MON CONSEIL

Le riz à longs grains est le plus courant, et le moins cher. Le riz basmati aux grains minces et au goût aromatique est plus cher et doit être réservé pour les grandes occasions si son prix n'est pas assez abordable pour une utilisation régulière.

Le riz, le basmati en particulier, doit être soigneusement lavé à l'eau courante froide avant l'emploi.

Poulet Cachemirien

Ce riche plat épicé qui réchauffe à coup sûr s'inspire de la tradition culinaire
du nord de l'Inde et utilise du poulet à l'os.

Pour 4 personnes

INGRÉDIENTS

4 pilons de poulet, sans peau

4 cuisses de poulet, sans peau

150 ml / ¼ de pinte / ⅔ de tasse de yaourt nature

4 cuil. à soupe de pâte de curry pour tikka

2 cuil. à soupe d'huile de tournesol

1 oignon moyen, émincé

1 gousse d'ail, pressée

1 cuil. à café de cumin en poudre

1 cuil. à café de gingembre frais, finement haché

½ cuil. à café de pâte de piment rouge

4 cuil. à café de bouillon de poule

2 cuil. à soupe d'amandes en poudre

sel

coriandre fraîche, en garniture

1 Avec un couteau bien aiguisé, faites des entailles parallèles assez profondes dans le poulet et mettez-le dans un grand saladier.

2 Mélangez le yaourt nature et la pâte de curry, ajoutez au poulet et remuez pour bien enrober. Couvrez et réfrigérez au moins 1 heure.

3 Faites chauffer l'huile dans une grande casserole, faites revenir l'oignon et l'ail 4 à 5 minutes pour qu'ils soient ramollis mais pas roux.

4 Ajoutez le cumin, le gingembre et la pâte de piment rouge. Faites cuire doucement 1 minute.

5 Ajoutez les morceaux de poulet et faites revenir doucement environ 10 minutes en remuant de temps à autre, jusqu'à ce que le poulet soit bien doré de toutes parts. Ajoutez ce qui vous reste de marinade ainsi que le bouillon et les amandes.

6 Couvrez la casserole et laissez mijoter encore 15 minutes, ou jusqu'à ce que le poulet soit tout à fait cuit et tendre.

7 Ajoutez un peu de sel à volonté. Garnissez le poulet de coriandre et servez accompagné de riz pilaf, de condiments et de poppadums.

VARIANTE

Si vous préférez, utilisez des blancs de poulet désossés à la place des cuisses et coupez-les en gros morceaux avant de les faire cuire.

Poulet aux Abricots Épicé au Cumin

Ces cuisses de poulet épicées sont partiellement désossées et fourrées d'abricots secs qui leur donnent une intense saveur fruitée. Un enrobage doré et épicé au yaourt allégé maintient le poulet moelleux et tendre.

Pour 4 personnes

INGRÉDIENTS

4 grosses cuisses de poulet entières
   sans peau
zeste d'un citron fraîchement râpé
200 g / 7 onces / 1 tasse d'abricots secs
   prêts à consommer
1 cuil. à soupe de cumin en poudre

1 cuil. à café de safran des Indes en
   poudre
125 g / 4$^{1}/_{2}$ onces / $^{1}/_{2}$ tasse de yaourt
   allégé nature
sel, poivre

ACCOMPAGNEMENT :
250 g / 9 onces / 1$^{1}/_{2}$ tasse de riz complet
2 cuil. à soupe de noisettes ou
   d'amandes effilées, grillées
2 cuil. à soupe de graines de tournesol,
   grillées
quartiers de citron et salade

1 Enlevez des cuisses de poulet le gras superflu.

2 Avec un couteau bien aiguisé, détachez soigneusement la chair de l'os de la cuisse.

3 Grattez l'os jusqu'à la jointure. Tenez fermement l'os de la cuisse et tordez-le pour l'arracher de l'os du pilon.

4 Ouvrez la partie désossée du poulet et saupoudrez de zeste de citron et de poivre. Entassez les abricots secs dans chaque morceau de poulet. Repliez la chair par-dessus et fermez bien avec un cure-dent.

5 Mélangez le cumin, le safran des Indes, le yaourt, le sel et le poivre et badigeonnez bien ce mélange sur toute la surface du poulet. Mettez le poulet dans un plat allant au four ou un plat à rôtir et faites cuire 35 à 40 minutes au four préchauffé à 190°C / 375°F / th 5, jusqu'à ce que le jus sorte clair, pas rosé, quand on perce la partie la plus épaisse du poulet avec une petite broche.

6 Pendant ce temps, faites cuire le riz dans de l'eau bouillante légèrement salée, juste pour qu'il soit tendre. Égouttez bien. Mélangez les noisettes et les graines de tournesol au riz. Servez le poulet accompagné du riz aux noisettes, de rondelles de citron et d'une salade.

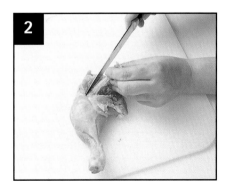

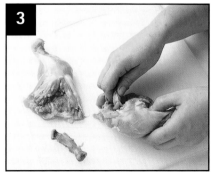

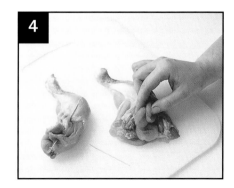

Poulet au Piment Rouge et à la Noix de Coco

Ce délicieux plat à la thaïlandaise est composé d'une sauce classique aux citron vert, cacahuètes, noix de coco et piment rouge. On trouve de la crème de coco dans la plupart des supermarchés et des épiceries fines.

Pour 4 personnes

INGRÉDIENTS

150 ml / ¼ de pinte / ⅔ de tasse de bouillon de poule très chaud
30 g / 1 once / ⅓ de tasse de crème de coco
1 cuil. à soupe d'huile de tournesol

8 cuisses de poulet, sans peau ni os, coupées en fines lanières
1 petit piment rouge, émincé
4 ciboules, émincées
4 cuil. à soupe de beurre de cacahuètes, avec ou sans morceaux

zeste finement râpé et jus d'un citron vert
fleur de ciboule et piment rouge, en garniture
riz nature, pour accompagner

1 Mettez le bouillon de poule dans un bol verseur, émiettez la crème de coco dedans et remuez jusqu'à dissolution.

2 Faites chauffer l'huile dans un wok ou une grande poêle à fond épais et faites bien dorer les lanières de poulet en remuant.

3 Ajoutez le piment rouge émincé et les ciboules dans le wok ou la poêle et faites cuire doucement quelques minutes en remuant pour mélanger tous les ingrédients.

4 Ajoutez le beurre de cacahuètes, la crème de coco, le zeste et le jus de citron vert, laissez cuire à petit feu, à découvert, environ 5 minutes.

5 Servez avec du riz nature, garni d'une fleur de ciboule et d'un piment rouge.

VARIANTE

Accompagnez ce plat épicé de riz au jasmin. Il a un arôme parfumé qui se marie très bien à la cuisine thaïlandaise.

VARIANTE

On utilise beaucoup de citron vert dans la cuisine thaïlandaise, surtout avec les saveurs douces comme celles de la noix de coco ou des cacahuètes. On les utilise de préférence aux citrons ordinaires parce que leur goût est plus acide ce qui ajoute fraîcheur et piquant à de nombreux plats. Si vous ne trouvez pas de citrons verts, utilisez des citrons ordinaires à la place.

Index

Abricots
poulet aux abricots épicé au cumin 252
aigre-doux, pilons 202
ail
coussinets de poulet à l'ail 90
fricassée de poulet à l'ail 132
poulet rôti à la coriandre et à l'ail 150
amandes, poulet en sauce aux poivrons rouges et aux 224
arlequin, poulet 70
avoine, morceaux de poulet à l' 48

Ballotine au parmesan 176
barbecues 192-220
pilons à la moutarde au barbecue 210
quarts de poulet au barbecue à l'aïoli chaud 218
blancs de poulet et lard de poitrine au four sur croûtons 160
bourguignon, poulet 120
brochettes
de poulet à la sauce aux mûres 214
de poulet des îles 200
de poulet épicées aux tomates 206
spirales de poulet en brochettes 220

Cacahuètes, sauté express aux, 80
cachemirien, poulet 250
californien, poulet 144
canapés de poulet 42
Caraïbes, poulet des 238
catalan, poulet 162
champignons
poulet aux échalotes en sauce aux champignons sauvages et au gingembre 128
poulet rôti à la sauce aux champignons exotiques 168
coloniale, poulet froid à la 54
confiture
poulet farci à la confiture d'orange 156
consommé de poulet 18
courgette
poulet farci à la crème de courgette et de citron vert 178
crevettes, poulet espagnol aux 240
croquettes de poulet aux herbes 46
cumin, poulet aux abricots épicé au 252
curry
poulet au curry à l'ail et aux fruits 226
poulet cachemirien 250
poulet Korma 242

Diable, poulet à la 86

Elizabethain, poulet 78
enveloppes au poulet et légumes de printemps à la vapeur 72
épicé
poulet épicé au sésame 194
épices
ragoût de poulet aux épices 114
tortillas au poulet aux épices 228

espagnol
poulet espagnol aux crevettes 240
estouffade de poulet à la bretonne 136

Fricassée
de poulet à l'ail 132
de poulet à la sauce au citron vert 118
fromage
ballotine au parmesan 176
blancs de poulet au jambon d'York et au stilton 172
pilons au fromage et à l'ail 58
pommes de terre en robe des champs au poulet et au, 38
poulet à la feta et aux herbes de montagne 152
poulet gratiné 186
suprêmes de poulet avec salade aux poires et au bleu 66

Galettes, poulet de printemps et petites 142
gingembre
poulet au maïs et au gingembre 196
poulet aux échalotes en sauce aux champignons sauvages et au gingembre 128
glacé, poulet 96
gombo de poulet cajun 230
goulache de poulet à la hongroise 124
grillades
poulet et assortiment de légumes grillés 198
poulet grillé et canapés au pesto 208
poussin grillé au citron et à l'estragon 216

Haricots noirs
poulet à la sauce aux haricots noirs et poivrons 234
herbes
croquettes de poulet aux herbes 46
poulet aux herbes du jardin 204
hochepot
campagnard au poulet 116
de la Jamaïque 130

Jambon
coussinets de poulet au jambon de Parme 82

Korma, poulet 242

Lady Jayne, poulet 94

Madère
poulet au Madère "à la française" 140
maïs
poulet et maïs au gingembre 196
sauté de poulet, maïs et mange-tout 100
mange-tout, sauté de poulet, maïs et 100
mangues
poulet doré aux mangues et aux airelles 158

méditerranéen
poulet méditerranéen en papillotes 98
méditerranéen, ragoût de poulet 138
méditerranéenne, rôti du dimanche à la 184
menthe
poulet à la menthe et au citron vert 212
mexicain, poulet 232
miel
poulet au four au miel et à la moutarde 182
poulet aux agrumes et au miel 170
moutarde
pilons à la moutarde au barbecue 210
moutarde, poulet au four au miel et à la 182

Oignons
poulet aux petits oignons et aux petits pois 146
orange
poulet champêtre à l'orange 112
poulet rôti en cocotte à l'orange et au sésame 180

Pan-bagnat au poulet 52
Parmentier express au poulet 106
Paysanne
poulet braisé à la paysanne avec boulettes au romarin 126
pesto, poulet grillé et canapés au 208
pilaf de poulet doré 248
pilons aigre-doux 202
pilons de poulet glacés et salsa à la mangue 40
piment rouge
poulet au piment rouge et à la noix de coco 254
piperade au poulet 44
pochés
blancs de poulet pochés à la sauce au whisky 84
pois
poulet aux petits oignons et aux petits pois 146
sauté de poulet, maïs et mange-tout 100
poivrons
poulet à la sauce aux haricots noirs et poivrons 234
poulet aux deux sauces aux poivrons 74
poulet en sauce aux poivrons rouges et aux amandes 224
pommes, poulet de fête aux 148
potage de poulet aux boulettes de coriandre 26
potager, poulet 188
poussin
aux fruits secs 154
grillé au citron et à l'estragon 216
printanier, poulet rôti 174

Quenelles de poulet panées 102

Ragoût de poulet anglais traditionnel à la bière 134
rarebit au poulet 60

risotto
de poulet à la milanaise 76
de poulet doré 104
rôti
poulet rôti à la coriandre et à l'ail 150
poulet rôti à la sauce aux champignons exotiques 168
roulé de poulet à l'italienne 88
royal
poulet royal farci aux noix de cajou 244

Salade
de poulet anglaise épicée à l'ancienne 64
poulet froid à la coloniale 54
suprêmes de poulet avec salade aux poires et au bleu 66
Waldorf estivale au poulet 62
sandwichs
canapés de poulet 42
pan-bagnat au poulet 52
sauces froides, lanières de poulet et 92
sauté de poulet thaïlandais aux légumes 246
sésame,
poulet épicé au 194
poulet rôti en cocotte à l'orange et au 180
Solomongundy 50
soupes 8-36
au curry de poulet (mulligatawny) 20
au poulet, à la pintade et aux spaghettis 32
au poulet de Tom 10
au poulet Dickensienne 28
au poulet et aux pâtes 16
au poulet et aux poireaux 12
au poulet et aux pois 22
de poulet aux wontons 36
thaïlandaise aux nouilles et au poulet 14
suprêmes
de poulet aux cerises noires 164
de poulet avec salade aux poires et au bleu 66

Teppanyaki 236
terrine de poulet fumé 56
thaïlandais, sauté de poulet 246
"toad in the hole" de Tom 108
tortillas au poulet aux épices 228

Velouté
de poulet 24
de poulet à l'orange 30
de poulet au citron 8
de poulet et de tomate 34
villageoise, poulet au four à la 122

Waldorf
salade Waldorf estivale au poulet 62
whisky, poulet rôti au 166

(Index établi par Lydia Darbyshire)